le petit livre de sagesse Zen

DAVID SCHILLER

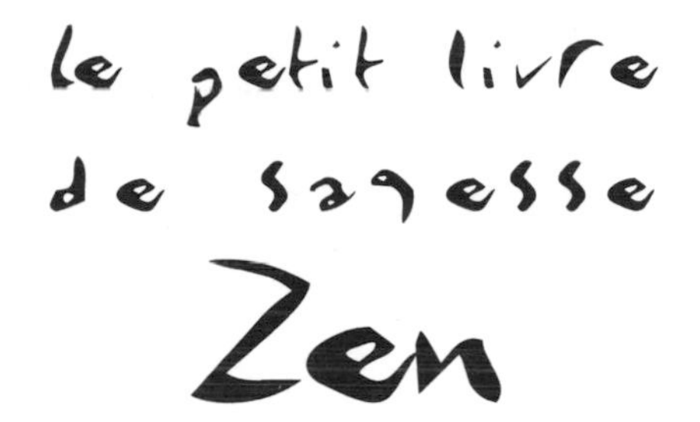

traduit de l'américain
par Pierre-Emmanuel Dauzat

ROBERT LAFFONT

Titre original : THE LITTLE ZEN COMPANION

ISBN 2-221-08616-3
(édition originale : ISBN 1-56305-467-1
Workman Publishing, New York)

Pour Asa,
et surtout pour Quinn,
mon maître

en remerciant tout particulièrement
Peter, Paul, Ruth, Wayne,
et Bill,
pour son exemple

INTRODUCTION

Zen. Un petit mot dont la puissance de fascination s'explique peut-être autant par notre ignorance que par ce que nous en savons. « C'est très zen », dit-on volontiers pour désigner quelque chose de spirituel, de dépouillé, de paisible, de mystique ou d'énigmatique — tout cela en même temps. Qu'est-ce que le zen ? Il serait sans doute plus facile de décrire le bruit d'une main qui claque.

Ce livre ne prétend pas définir le zen, mais plutôt donner une idée de la vision zen du monde : où il n'est de meilleur moment que maintenant, où les choses *sont* bel et bien ce qu'elles paraissent être, où nous voyons avec l'innocence rafraîchissante d'un enfant, non à travers le regard blasé qui vient avec la routine. Les dictons, les poèmes, les paraboles et les anecdotes qui suivent ont été choisis pour leur force de suggestion, mais aussi pour les surprises linguistiques qu'ils nous réservent. Les uns sont curieux, d'autres irrévérencieux, d'autres encore joliment évocateurs. Il en est qui pourraient dérouter : quand les mots ne servent pas à transmettre une idée, mais sont maniés comme des outils pour planter une vérité sans paroles, cela peut provoquer des choses assez étranges.

Ainsi trouvera-t-on ici des mots sur les rigueurs de la Voie, des mots qui célèbrent l'ordinaire, des mots sur les maîtres et les élèves, sur la nature et sur l'art, sur la nature des choses et sur l'unicité de l'univers, sur la vie simple, sur l'éveil. Fort peu viennent du monde occidental. Henry David Thoreau a bien pu vivre dans la Nouvelle-Angleterre du XIXe siècle, non dans le Japon médiéval, mais ses écrits comme ses pensées incarnent largement l'esprit zen.

Commencez où bon vous semblera. Prenez le livre par le début, le milieu ou la fin. Lisez les entrées à la file ou papillonnez. Mais laissez aux mots le temps d'agir. Le sens n'en apparaît pas toujours immédiatement, et bien des citations sembleront se métamorphoser avant de devenir claires.

Naturellement, les mots ne sauraient être un substitut de l'expérience. Lire la description d'un fruit et croquer une pêche bien juteuse sont deux choses différentes. Mais laissez aux mots le temps d'agir et vous trouverez sans doute non pas la vérité, mais un aperçu.

NOTE HISTORIQUE

Le zen est né en Chine au VIe siècle de la rencontre du bouddhisme indien et du taoïsme, fusionnant le spéculatif et le pratique, le métaphysique et le prosaïque. Appelé *ch'an* en Chine, il privilégiait la méditation sur la doctrine, y voyant la voie la plus courte, mais aussi la plus raide, pour réaliser l'esprit du bouddha inhérent à chacun de nous. Le *ch'an* se scinda assez vite en deux lignées : l'École du Nord, dite de l'Éveil progressif, et l'École du Sud, dite de l'Éveil subit, qui devint rapidement l'école dominante. Le zen connut son âge d'or sous les Tang et au début des Song (en gros, du VIIe au XIIe siècle). Il arriva vers 1190 au Japon, où les écoles *sôtô* et *rinzai* continuent à prospérer. Les premiers maîtres zen arrivèrent en Amérique autour de 1905.

Les possibilités sont multiples dans l'esprit du débutant ; Dans l'esprit de l'expert, elles sont peu nombreuses.

SHUNRYU SUZUKI.

Avant qu'une personne n'étudie le zen, les montagnes sont les montagnes, les eaux sont les eaux. Après un premier aperçu de la vérité du zen, les montagnes ne sont plus les montagnes, les eaux ne sont plus les eaux. Après l'éveil, les montagnes sont de nouveau les montagnes, les eaux de nouveau les eaux.

KÔAN ZEN.

Je ne suis pas assez jeune pour tout savoir.

JAMES MATTHEW BARRIE.

**Le saule est vert,
Les fleurs sont rouges.**

KÔAN ZEN.

La fleur n'est pas rouge,
Pas plus que le saule n'est vert.

KÔAN ZEN.

Tout le monde
sait que la beauté
est belle,
Voilà à quoi tient
sa laideur.

TAO-TÖ KING.

« Je vais poser une question, dit le roi Milinda au vénérable Nagasena. Peux-tu répondre ?

— Je t'en prie, pose ta question, dit Nagasena.

— Je l'ai déjà posée, fit le roi.

— J'y ai déjà répondu, dit Nagasena.

— Qu'as-tu répondu ? demanda le roi.

— Qu'as-tu demandé ? fit Nagasena.

— Je n'ai rien demandé, dit le roi.

— Je n'ai rien répondu », dit Nagasena.

APOLOGUE DE LA POULE ET DE L'ŒUF, VERSION ZEN.

S'il te faut demander ce qu'est le jazz, tu ne le sauras jamais.

Louis Armstrong.

Le Tao qu'on peut dire
N'est pas le Tao éternel.
Le nom qu'on peut nommer
N'est pas le nom éternel.

TAO-TÖ KING.

S'étant assis sur le siège haut pour prêcher à l'assemblée, Fa-yen leva la main en direction des stores de bambou. Deux moines s'en allèrent les enrouler de la même manière. « L'un gagne, l'autre perd », dit Fa-yen.

KÔAN ZEN.

La lettre tue, mais l'esprit vivifie.

Saint Paul.

Le kôan

Pour les Occidentaux, aucun aspect du zen n'est peut-être aussi déroutant et intrigant à la fois que le *kôan* — ni aussi mal compris. Un *kôan* n'est pas une devinette ni un paradoxe fait pour dérouter. Il fait partie intégrante d'un système affiné au fil des siècles pour aider l'élève à progresser vers une réalisation directe de la réalité ultime.

Mot japonais construit à partir de *kô* (« public ») et de *an* (« proposition »), le *kôan* peut être une question, un extrait des *sûtra*, un épisode de la vie des anciens maîtres, un mot échangé dans un *mondo* ou tout autre fragment d'enseignement. On dénombre quelque 1 700 *kôan* traditionnels.

La pratique du *kôan* commence lorsque le maître assigne un premier *kôan* classique du genre *Mu*, qui est la réponse de Chao-chou au moine qui lui demandait : « Le chien a-t-il, oui ou non, la nature du Bouddha ? » L'élève doit parfois vivre des années avec *Mu* avant de le comprendre vraiment. Mais les *kôan* suivants — il peut y en avoir jusqu'à 500, en cinq étapes successives — admettent souvent des « réponses » rapides.

Voici l'explication qu'en donne le grand maître japonais Hakuin : « Si vous prenez un *koân* pour l'étudier sans relâche, votre esprit mourra, votre volonté sera détruite. Tout se passe comme si s'ouvrait devant vous un abîme immense, sans lieu où poser vos mains et vos pieds. Vous êtes face à la mort et vous avez l'impression qu'un feu vous brûle la poitrine. Puis, soudain, vous ne faites qu'un avec le *kôan*, le corps et l'esprit sont largués... C'est ce qu'on appelle voir dans sa nature. »

« Le roi est nu ! » cria l'enfant.

HANS CHRISTIAN ANDERSEN.

Voyant une image de Bodhidharma barbu, Wakuan se lamenta : « Pourquoi celui-là n'a-t-il pas de barbe ? »

KÔAN ZEN.

Shen-kuan désespérait de trouver le repos de l'esprit et, pour témoigner de la sincérité de sa foi, il se coupa le bras. Bodhidharma lui dit :

« Montre-moi ton esprit et je te donnerai la paix.

— Quand je cherche mon esprit, je ne le trouve pas, répondit le disciple.

— Alors te voilà en paix ! »

Shen-kuan eut une illumination soudaine et comprit la vérité.

KÔAN ZEN.

Un jour, un homme aborda Ikkyû et demanda : « Maître, voudrais-tu écrire pour moi quelques maximes de la plus haute sagesse ? »

Ikkyû prit son pinceau et écrivit : « Attention. »

« C'est tout ? », demanda l'homme.

Alors Ikkyû écrivit : « Attention. Attention. »

« Eh bien, fit l'homme, je ne vois rien de bien profond dans ce que tu as écrit. »

Alors Ikkyû écrivit le même mot trois fois : « Attention. Attention. Attention. »

À moitié fâché, l'homme demanda : « De toute façon, que signifie ce mot : "Attention" ? »

Ikkyû répondit doucement : « Attention veut dire attention. »

HISTOIRE ZEN.

Assis à même le sol,
l'égotisme mesquin se dissipe.
Je deviens un globe oculaire
transparent.
Je ne suis rien, je vois tout.
Les courants de l'Être universel
me parcourent.
Je suis une partie ou une
particule de Dieu.

RALPH W. EMERSON.

Dieu est un cercle, dont le centre est partout et la circonférence nulle part.

EMPÉDOCLE.

Tous les jours, des gens désertent l'église et retournent à Dieu.

LENNY BRUCE.

Aime Dieu et fais ce que tu voudras.

SAINT AUGUSTIN.

Si les portes de la perception étaient décrassées, l'homme verrait chaque chose telle qu'elle est : infinie.

WILLIAM BLAKE.

Au royaume des lumignons, les lampes de poche sont des phares.

PROVERBE CHINOIS.

L'œil avec lequel je vois Dieu est l'œil avec lequel Dieu me voit.

MAÎTRE ECKHART.

Au fond, c'est lui-même que vise le tireur d'élite.

L'ART DU TIR À L'ARC.

Sonne les cloches qui peuvent encore sonner.
Oublie ton offrande parfaite.
Il y a une fissure en toute chose.
C'est par là que pénètre la lumière.

LEONARD COHEN.

Passer pour un idiot aux yeux d'un imbécile est une volupté de fin gourmet.

Georges Courteline.

Si tu ne trouves pas la vérité à l'endroit où tu es, où espères-tu la trouver ?

DÔGEN.

◪

Le seul zen que tu trouves au sommet des montagnes est celui que tu y portes.

ROBERT M. PIRSIG, *Traité du zen et de l'entretien des motocyclettes.*

Après avoir ainsi vécu
Exister est impensable
Présence des fleurs.

ISSA.

Qu'est-ce que le Bouddha ?

Les élèves ne cessent de poser la question : « Qu'est-ce que le Bouddha ? » Au fil des siècles, les maîtres ont multiplié les réponses en apparence absurdes, souvent sous formes de *kôan*.

Qu'est-ce que le Bouddha ?

« *Trois livres de lin.* » TUNG-SHAN

« *Un étron desséché.* » YUN-MEN

« *Cet esprit même.* » MA-TSU

« *Ni esprit, ni Bouddha.* » MA-TSU

« *Qu'est-ce qui n'est pas le Bouddha ?* » NAN-YANG HUI-CHUNG

« *Le chat grimpe au poteau.* » PA-CHIO HUI-CH'ING

« *Je ne l'ai jamais connu.* » NAN-YANG HUI-CHUNG

« Attends qu'il y en ait un, et je te le dirai. »
NAN-YANG HUI-CHUNG

« Une jeune épousée à dos d'âne, conduit par la belle-mère. » SHOU-SHAN

« Si tu prononces le nom de Bouddha, rince-toi la bouche. » DICTON ZEN

« Regarde en toi, tu es *Bouddha. »*
LA VOIX DU SILENCE

Il faut casser la coque pour en faire sortir l'intérieur, car si tu veux le noyau, tu dois briser la coquille. Si donc tu veux découvrir la nudité de la nature, il te faut détruire ses symboles, et plus tu vas loin, plus tu en approches l'essence. Quand tu en arriveras à l'Un, qui recueille toutes les choses en soi, c'est là que ton âme devra rester.

Maître Eckhart.

Vocabulaire du zen

KENSHÔ : réalisation de soi ; voir dans sa propre nature.

JIRIKI : sa « force personnelle » ; renvoie aux efforts d'une personne pour atteindre l'éveil par ses propres efforts.

SATORI : état d'éveil intuitif, en particulier l'Éveil tel que l'a connu le Bouddha.

BODHISATTVA : être éveillé qui renonce à entrer dans le *nirvâna* tant que tous les autres êtres ne seront pas sauvés.

À partir de ce matin, la journée est plus longue d'une ligne.

IKKYÛ.

Il est bon de naître dans une religion, mais pas d'y mourir.

KRISHNAMURTI.

Une rose est une rose, qui est une rose, qui est une rose...

GERTRUDE STEIN.

La rose est sans pourquoi.

ANGELUS SILESIUS.

Les choses sont uniquement ce qu'elles paraissent être ; *derrière elles*... il n'y a rien.

SARTRE.

« Quelle doctrine va plus loin que les bouddhas et les patriarches ? demanda un jour un moine à Yun-men.

— Le gâteau de sésame », répondit Yun-men.

Sens-tu tes cheveux qui se dressent sur leurs pointes ?

KÔAN ZEN.

Un jour que Ma-tsu et Pai-chang se promenaient ensemble, ils virent un vol de canards sauvages.

« Qu'est-ce ? demanda le maître.

— Des canards sauvages, répondit Pai-chang.

— Où sont-ils allés ?

— Ils se sont envolés », dit Pai-chang.

Sur ce, le maître lui tordit le nez et, Pai-chang lâchant un cri de douleur, Ma-tsu demanda : « Quand se sont-ils jamais envolés ? »

KÔAN ZEN.

L'illusion fondamentale de l'humanité est d'imaginer que je suis ici et que toi, tu es là.

YASUTANI ROSHI.

Au loin, dans la prairie, des hommes font les foins, leurs têtes s'agitant comme l'herbe qu'ils coupent. Le vent semblait les faire ployer pareillement.

THOREAU.

Les gouttes de pluie crépitent sur la feuille de Bashô, mais ce ne sont pas des larmes de chagrin ; c'est seulement son angoisse qui les écoute.

DICTON ZEN.

Parfois je vais en
m'apitoyant sur mon
sort
et tout le temps
Un grand vent me porte
à travers le ciel.

DICTON OJIBWA.

Il n'y a pas moyen de découvrir pourquoi un ronfleur ne peut s'entendre ronfler.

MARK TWAIN, *KÔAN* OCCIDENTAL.

Un moine demanda à Yueh-shan :

« À quoi pense-t-on quand on est assis ?

— On pense au non-penser, répondit le maître.

— Comment pense-t-on au non-penser ? demanda le moine.

— Sans penser », dit le maître.

MONDO ZEN.

P'ang le Profane

P'ang le Profane (740-808/811) était un père de famille qui rejeta la pratique formelle pour chercher l'Éveil à sa façon et inspira bien d'autres adeptes par sa dévotion à la Voie. L'une des anecdotes les plus fameuses le concernant porte sur la manière dont il se défit de ses biens : il les chargea sur une embarcation, qu'il fit couler au milieu d'une rivière. Après quoi, emmenant sa fille, Ling-chao, avec lui, il se fit colporteur.

Il semble que P'ang le Profane ait connu toutes les autres grandes figures zen de son temps, étudiant auprès d'elles et les entraînant dans le combat du *dharma*. Un jour que Shih-tou l'interrogeait sur sa vie, P'ang lui répondit :

Mes activités quotidiennes n'ont rien d'extraordinaire,
Je suis naturellement en harmonie avec elles.
Ne prenant rien, ne rejetant rien...

Force surnaturelle et activité merveilleuse –
Puisant de l'eau et portant du bois pour le feu.

Ling-chao et lui passèrent leurs deux dernières années dans une grotte. Un jour, P'ang annonça qu'il était temps de mourir. Fin prêt, il demanda à sa fille de sortir et de le prévenir quand le soleil serait à son zénith. Elle rentra en courant pour lui dire qu'il y avait une éclipse. Lorsque P'ang sortit, elle prit la place de son père et mourut. « Elle a toujours été vive », conclut P'ang, qui attendit une semaine pour la suivre.

Un moine demanda à Chao-chou :

« Si vient un pauvre, que faut-il lui donner ?

— Il ne manque de rien », répondit le maître.

MONDO ZEN.

On se perd dans les détails...
Simplifiez, simplifiez.

THOREAU.

Il apporta sa stupidité au maître artisan :

« Vous pourriez me la retoucher pour en faire une intelligence ?

— Oui, mais il restera des chutes », répondit le maître.

STANISLAS JERZY LEC, *Pensées échevelées.*

Je dois éviter à tout prix les crises fréquentes de métempsycose.

Achille Chavée.

La vie et l'amour sont la vie et l'amour,
Un bouquet de violettes est un bouquet de violettes,
Et introduire à tout prix l'idée d'une fin, c'est tout gâcher.
Vivre et laisser vivre, aimer et laisser aimer, fleurir et se faner, et suivre la pente naturelle, qui s'écoule, sans but.

D. H. LAWRENCE.

Un volubilis à ma fenêtre me comble plus que toute la métaphysique livresque.

WALT WHITMAN.

Adorables flocons de neige,
Ils ne tombent nulle part ailleurs !

KÔAN ZEN.

Tout est pareil ;
Tout est distinct.

PROVERBE ZEN.

Un poète est un monde enfermé dans un homme.

VICTOR HUGO.

Quand tu es dans l'illusion et le doute, même un millier de livres ne suffisent pas.

Quand tu as compris, un seul mot est de trop.

FEN-YANG.

La nasse sert à prendre le poisson ; quand le poisson est pris, oubliez la nasse.

Le piège sert à capturer le lièvre ; quand le lièvre est pris, oubliez le piège.

Les mots servent à exprimer les idées. Quand l'idée est saisie, oubliez les mots.

Où trouver un homme qui a oublié les mots ? C'est avec lui que j'aimerais m'entretenir.

TCHOUANG-TSEU.

Si tu rencontres en chemin
Un homme qui sait,
Ne dis pas un mot,
— Ne garde pas le silence !

DICTON ZEN.

Le Bouddha

À la question : « Qu'est-ce que le Bouddha ? » le zen multiplie les réponses excentriques. « Qui était le Bouddha ? » est une question plus simple. Prince du clan Sâkya, vivant dans l'opulence, Siddhârta Gautama est né au VIe siècle dans ce qui est aujourd'hui le Népal. Il se maria, eut un fils et continua à se faire choyer, son père prenant grand soin de le tenir à l'écart de toute la misère du monde. Mais à la faveur de quatre excursions hors du palais, il rencontra quatre signes : un vieillard, un malade, un cadavre et un moine. Les trois premiers symbolisaient l'humanité souffrante ; le quatrième, la destinée de Siddhârta.

Siddhârta choisit la voie de l'ascèse, quittant son foyer pour vivre d'abord avec des maîtres, puis, neuf années, seul. Mais l'ascétisme se révéla stérile. Il se remit à manger — pour formuler les idées bouddhistes de la Voie moyenne —, puis s'installa sous le fameux arbre de l'éveil, la *bodhi*, faisant le vœu de méditer jusqu'à ce qu'il ait résolu le problème de la souffrance. Quarante-neuf jours plus tard, ce fut le grand éveil du Bouddha : le *satori* que recherchent tous les adeptes du zen. Répugnant même à en parler parce qu'il échappe aux mots, Siddhârta finit par s'adresser à un groupe de disciples dans le bois des Gazelles, à Sârnâth (près de Bénarès), puis passa le reste de sa longue vie à enseigner. Il mourut à quatre-vingts ans après avoir mangé de la nourriture avariée.

Bouddha, ainsi qu'on devait le connaître, n'est pas le seul bouddha. D'après les textes bouddhistes, il y en eut six avant lui, et treize après. Le prochain sera Maitreya, qui devrait s'incarner à l'avenir et renouveler le *dharma*.

Ti-ts'ang demanda à Fa-yen : « Où vas-tu ?
— En pèlerinage, dit Fa-yen.
— Quel est le but du pèlerinage ? demanda Ti-ts'ang.
— Je ne sais pas, dit Fa-yen.
— Rien n'est plus près que la nescience », dit Ti-ts'ang.

MONDO ZEN.

Amer savoir, celui qu'on tire du voyage ! Le monde, monotone et petit, aujourd'hui, Hier, demain, toujours, nous fait voir notre image.

BAUDELAIRE.

Si un homme veut être sûr de son chemin, qu'il ferme les yeux et marche dans l'obscurité.

SAINT JEAN DE LA CROIX.

Un moine demanda à maître Haryo : « Qu'est-ce que la Voie ? »
Haryo répondit : « Un homme ouvrant grands les yeux et tombant dans le puits. »

KÔAN ZEN.

Va — sans savoir où.
Apporte — sans savoir quoi.
Le trajet est long, la voie inconnue.

CONTE DE FÉES RUSSE.

La lucidité est la blessure la plus rapprochée du soleil.

RENÉ CHAR.

Console-toi, tu ne me chercherais pas si tu ne m'avais trouvé.

Pascal.

Si tu cherches, en quoi est-ce différent de poursuivre le son et la forme ?
Si tu ne cherches pas, en quoi es-tu différent de la terre, du bois ou de la pierre ? Tu dois chercher sans chercher.

WU-MEN.

D'où venons-nous ?
Que sommes-nous ?
Où allons-nous ?

GAUGUIN,
Inscription sur l'un de ses tableaux.

Quand tu marches, marche. Assis, sois assis. Surtout n'hésite pas.

YUN-MEN.

Si tu veux te noyer, ne te mets pas à la torture d'une eau peu profonde.

PROVERBE BULGARE.

Vocabulaire du zen

MUSHIN : non-esprit, ou détachement de l'esprit ; délivrance complète de la pensée dualiste.

SAMÂDHI : état de recueillement dans lequel le sujet ne diffère pas de l'objet.

SHIKANTAZA : seulement s'asseoir ou méditer sans s'aider de techniques, par exemple sans compter les souffles.

MAKYÔ : mystérieuse apparition, plus particulièrement, vision ou rêve naissant de la méditation.

ZENDÔ : salle de méditation.

On n'entre jamais deux fois dans la même eau.

HÉRACLITE.

Toute sortie est une entrée quelque part ailleurs.

Tom Stoppard.

Si toutes les ondes du courant zen étaient pareilles, d'innombrables gens ordinaires s'enliseraient.

DICTON ZEN.

La seule joie au monde est de commencer.

CESARE PAVESE.

Une autre fois, je vis un enfant s'approcher de moi, une torche allumée à la main. « D'où apportes-tu cette lumière ? » lui demandai-je. Aussitôt il la souffla et me dit : « Ô Hasan, dis-moi où elle est partie et je te dirai où je suis allé la chercher. »

HASAN BASRI.

Qu'advient-il du trou lorsque le fromage a disparu ?

Bertolt Brecht, *kôan occidental.*

Le Barbare de l'Occident

« Pourquoi Bodhidharma est-il venu d'Occident ? » est une question familière dans la littérature zen. La question renvoie à un moine bouddhiste indien, Bodhidharma (vers 470-532), qui, au VIe siècle, se rendit d'Inde jusqu'en Chine en bateau et fut peu à peu reconnu comme le Cinquième Patriarche.

L'histoire de Bodhidharma commence avec la rencontre de l'empereur Wou, qui, se vantant de toutes ses bonnes actions, lui demanda quel mérite il avait gagné.

« Aucun mérite, répondit Bodhidharma.

— Alors quel est le principe premier de la Sainte Doctrine ? voulut savoir l'empereur.

— Vacuité immense, rien de saint.

— Qui donc ai-je en face de moi ?

— Je ne sais pas », répondit Bodhidharma.

Bodhidharma poursuivit ensuite sa route vers le nord et médita neuf années devant un mur. (Pour éviter de tomber de sommeil, rapporte une légende, il se retrancha les paupières ; à l'endroit même où elles tombèrent poussèrent des arbres à thé ; de là vient qu'on lui attribue l'introduction du thé en Chine.) Avant de regagner l'Inde (ou de mourir empoisonné en Chine — les récits divergent), Bodhidharma fit de son élève Houei-k'o le Deuxième Patriarche. Ainsi commença la lignée.

Alors même que son enseignement conserve un caractère indien, Bodhidharma est vénéré comme le père du zen et l'auteur de cette stance classique, qui en définit l'essence :

Une transmission par-delà les écritures ;
Ne se fiant ni aux paroles ni à la lettre ;
Pointer droit sur l'âme de l'homme ;
Voir dans sa nature et atteindre l'état de bouddha.

Si tu veux comprendre le zen sans peine, sois indifférent, où que tu sois, vingt-quatre heures par jour, jusqu'à fusionner spontanément avec la Voie.
C'est ce qu'un ancien sage appelait « l'esprit ne touchant pas aux choses, les pas placés nulle part ».

YING-AN.

La faim, nous l'appelons amour,
Et là où nous ne voyons rien, nous croyons nos dieux.

HÖLDERLIN.

La vie est une horloge qui crie à son propriétaire — au quart d'heure : *Tu...*, à la demie : *Tu es...*, aux trois quarts : *Tu es un...*, et quand l'heure sonne : *Tu es un être humain*.

LICHTENBERG.

La Grande Voie n'est pas difficile pour ceux qui n'ont pas de préférence.

Quand l'amour et la haine sont tous deux absents, tout devient clair et transparent.

Mais fais la plus infime distinction, et le ciel et la terre sont à une distance infinie l'un de l'autre.

SENG-T'SAN.

Les comparaisons sont odieuses.

DICTON POPULAIRE DU XIVe SIÈCLE.

Opposer ce qui te plaît à ce qui te déplaît : telle est la maladie de l'esprit.

SENG-T'SAN.

La Voie
n'est pas difficile ;
il ne doit y avoir
que non-vouloir
ou non-vouloir.

CHAO-CHOU.

Comment le saisirai-je ? Ne le saisis pas ! Ce qui demeure quand il n'y a plus rien à saisir, c'est le Soi.

PANCHADASI.

Le zen n'a rien qu'on puisse saisir. Si les gens qui étudient le zen ne le voient pas, c'est qu'ils l'abordent avec trop d'avidité.

YING-AN.

Ki Sing-tseu dressait un coq de combat pour son seigneur. Au bout de dix jours, le seigneur lui demanda :

« Est-il prêt ?

— Non, répondit Ki, il est encore vaniteux et gonflé de colère. »

Dix jours passèrent et le prince s'enquit du coq. « Pas encore, répondit Ki. Il est sur le qui-vive sitôt qu'il entend un coq coqueriquer. » Lorsque le prince l'interrogea à nouveau, Ki répondit : « Pas encore, sire. L'appétit de combat couve encore en lui. » Dix jours passèrent et Ki déclara enfin à son seigneur : « Il est presque prêt. Il ne s'excite pas, même quand il entend un autre coq chanter. On dirait un coq de bois. Ses qualités sont intégrées. Il n'a pas son pareil : les autres coqs s'enfuiront aussitôt. »

TCHOUANG-TSEU.

Zazen

Le *zazen*, « être assis » dans l'« absorption », est au cœur de la pratique du zen. Bien qu'enraciné dans d'antiques pratiques, le *zazen* diffère des autres formes de méditation en ce qu'il se passe de tout objet ou de tout concept abstrait sur lequel se concentrer. Le but du *zazen* est d'abord d'apaiser l'esprit — en finir avec les simagrées de la vie quotidienne —, puis, au terme d'années de pratique, atteindre un état d'éveil pur, exempt de pensée, en sorte que l'esprit puisse réaliser sa nature de bouddha. Et, à la différence des autres formes de méditation, le zazen n'est pas simplement un moyen au service d'une fin. « Le *zazen* est lui-même éveil », a dit Dôgen. Une minute où l'on est assis, c'est une minute où l'on est bouddha.

L'exemple par excellence du *zazen* est celui de Bodhidharma, demeuré assis neuf ans devant un mur, au monastère de Chao-lin. Mais, suivant une méthode typique, la littérature zen monte en épingle un autre exemple, qui paraît en être le contraire. Jour après jour, Ma-tsu était assis, en méditation, jusqu'au jour où son maître se décida enfin à le questionner à ce propos. Ma-tsu expliqua qu'il espérait atteindre l'état de bouddha. Le maître ramassa une brique, qu'il se mit à frotter avec une pierre. Lorsque Ma-tsu lui demanda ce qu'il faisait, il répondit qu'il polissait la brique pour en faire un miroir.

« Comment faire un miroir en polissant une brique ? demanda Ma-tsu.

— Comment peut-on devenir bouddha en méditant assis ? », répliqua le maître, critiquant non pas la position assise, mais celui qui était assis.

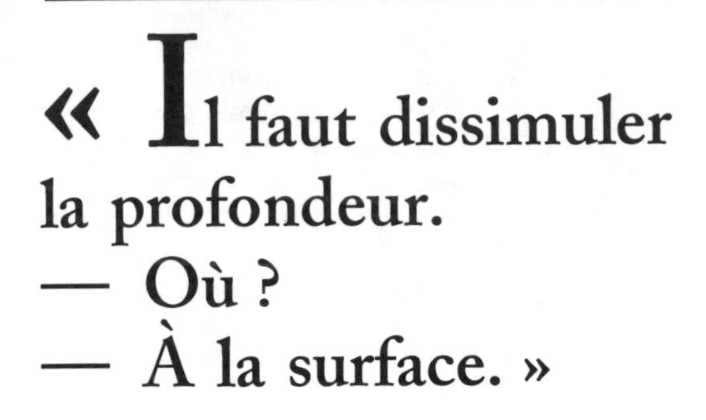

« Il faut dissimuler la profondeur.
— Où ?
— À la surface. »

HUGO VON HOFMANNSTHAL.

Nul n'est jamais si heureux ni si malheureux qu'il se l'imagine.

La Rochefoucauld.

Pour être un homme de savoir, il faut être léger et fluide.

MYSTIQUE YAQUI.

Agis sans faire ; travaille sans effort.

TAO-TÖ KING.

Un petit somme
Et l'eau de la montagne
Qui pile le riz.

Issa.

Ce que le maître digère, l'élève le mange.

KARL KRAUS.

Vocabulaire du zen

DOKUSAN : entrevue privée entre l'élève et le maître, dans le secret de la chambre du maître ; élément crucial du zen *rinzai.*

RÔSHI : maître vénérable, moine ou laïque, homme ou femme.

MONDO : dialogue sur le bouddhisme ou sur un problème existentiel entre maîtres ou entre maître et élève

INKA : Sceau de l'éveil, par lequel un maître confirme officiellement qu'un élève a achevé sa formation.

Quand l'élève est prêt arrive le maître.

PROVERBE BOUDDHISTE.

Les maîtres ouvrent la porte, mais c'est à toi d'entrer.

PROVERBE CHINOIS.

Le vieux Ting demanda à Lin-tsi : « Maître, quelle est la grande signification des enseignements du Bouddha ? »

Lin-tsi descendit de son siège, gifla Ting et le repoussa. Stupéfait, Ting demeura pantois. Un moine qui était à côté lui demanda : « Ting, pourquoi tu ne t'inclines pas ? » À cet instant Ting connut une grande illumination.

KÔAN ZEN.

« *Kwatsu !* »

Le zen est réputé pour les méthodes peu orthodoxes qu'employaient ses maîtres, en particulier ceux de la Chine des Tang, qui développèrent un style d'enseignement du zen à base de « mots étranges » et d'« excentricités ». Aux interrogations de ses moines Yun-men répondait par un seul mot. Ma-tsu frappait ses élèves, les envoyait à terre, leur tordait le nez, et il fut le premier à employer le *shippei* (japonais : *kyosaku*) — le « bâton de réveil » dont se servent les moniteurs de méditation.

Lin-tsi mit au point le « *Ho !* » : un son que les Japonais traduisent par « *Kwatsu !* », ou simplement « *Kwats !* », exclamation destinée à arracher les élèves au dualisme. Les propositions brèves, simples et paradoxales de Chao-chou sont d'une inventivité sans égale et forment la base de nombreux *kôan*.

Il faut aussi signaler le « zen du doigt tendu » de

Chu-chih. Un jour, un étranger demanda au serviteur de Chu-chih quel genre de zen prêchait son maître. Le garçon tendit un doigt, comme faisait son maître quand on lui posait une question. L'apprenant, Chu-chih trancha le doigt du garçon avec un couteau. Le garçon s'enfuit, hurlant de douleur. Chu-chih l'appela. Le garçon se retourna. Chu-chih tendit un doigt. Pour le garçon, ce fut l'éveil.

Si tu rencontres le bouddha, tue-le.

LIN-TSI.

Ne cherche pas à marcher sur les brisées des hommes d'autrefois ; cherche ce qu'ils ont cherché.

Bashô.

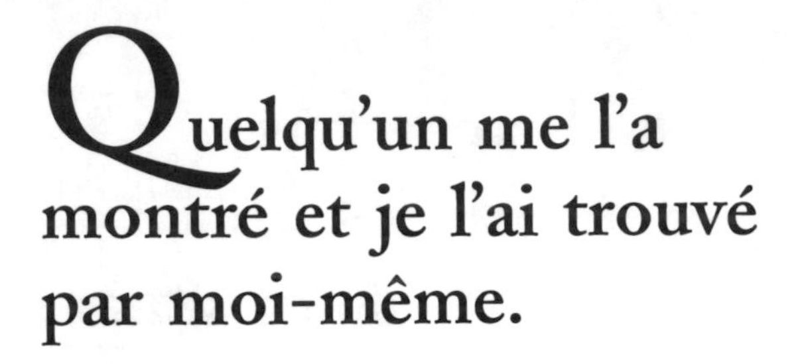

Quelqu'un me l'a montré et je l'ai trouvé par moi-même.

LEW WELCH.

Pourquoi demander de boire aux animaux qui vivent dans l'eau ?

PROVERBE D'AFRIQUE OCCIDENTALE.

Paysan,
Indiquant la voie
Avec un radis.

Issa.

Tu es Bosatsu,
Je serai le chauffeur de taxi
Te ramenant chez toi.

GARY SNYDER.

Chiu-feng était un serviteur de Shih-shuang et lorsque le maître rendit le dernier soupir, la communauté décida d'inviter le moine le plus important à lui succéder. Chiu-feng objecta : « Attendez, je vous prie, que je le questionne. S'il comprend l'enseignement de Shih-shuang, alors je le servirai comme notre maître regretté. » Chiu-feng se tourna alors vers le moine. « Shih-shuang a dit : « Cesse, renonce ; passe dix mille ans sur une seule pensée ; sois cendres froides, arbres morts. Sois un encensoir dans un ancien sanctuaire ; sois un ruban de soie blanche immaculée. » Maintenant, dis-moi, quel côté cela illustre-t-il ?

— Le côté de l'uniformité », répondit le moine.

Chiu-feng reprit : « Alors tu ne comprends toujours pas l'enseignement du défunt maître.

— Si tu n'es pas d'accord avec moi, apporte-moi un bâton d'encens », répondit le moine.

Le moine alluma l'encens et déclara : « Si je ne comprends pas l'enseignement du défunt, alors je ne serai pas capable de mourir tant que cet encens brûlera. » À ces mots, il s'assit et mourut.

Chiu-feng lui tapota le dos et dit : « Pour ce qui est de mourir assis ou debout, tu n'es pas en reste. Mais pour ce qui est du sens de notre défunt maître, tu ne l'as même pas vu en rêve. »

HISTOIRE ZEN.

La solution du problème que tu vois dans la vie, c'est une manière de vivre qui fasse disparaître le problème.

LUDWIG WITTGENSTEIN.

Le zen est ta pensée quotidienne.

CHAO-CHOU.

Qu'est-ce que cette vraie méditation ? C'est de tout — tousser, déglutir, agiter les bras, bouger, rester immobile, les mots et l'action, le mal et le bien, l'opulence et la honte, le gain et la perte, le juste et le tort — faire un seul *kôan*.

HAKUIN.

Ce Bouddha de pierre
Mérite toutes les fientes qu'il reçoit.
J'agite mes bras décharnés comme
Une grande fleur dans le vent.

IKKYÛ.

Il n'y a point de poisson en eau trop pure.

Ts'ai Ken T'an.

Qui excelle au tir ne touche pas le centre de la cible.

DICTON ZEN.

Le Sixième Patriarche

Un jour, un graveur sur bois désargenté et sans culture, un dénommé Houei-nêng (638-713), surprit des moines qui récitaient un vers du *Sûtra du Diamant* : « Que ton esprit vogue librement, sans s'attarder sur rien. » Cela changea sa vie en même temps que l'histoire du zen en Chine. Avant sa mort, Houei-nêng, le Sixième Patriarche, allait donner au zen une marque entièrement chinoise en le mariant avec des idées taoïstes (par exemple, le rejet du savoir livresque) ; à travers ses successeurs dharmiques, il inaugura l'âge d'or du zen.

Dans la vie de cette grande figure, le tournant est sa promotion au rang de Sixième Patriarche. Depuis huit mois, Houei-nêng travaillait aux communs, dans un monastère, lorsque le maître, Hong-jen, annonça qu'il était temps de nommer un successeur. Hong-jen demanda donc aux moines d'écrire un poème résumant leur manière de comprendre le zen. Voici la stance que le doyen écrivit sur un mur :

Le corps est l'arbre de la bodhi *
Et l'esprit tel un miroir brillant.
Polis-le avec soin, heure après heure,
Qu'aucune poussière ne s'y dépose.

Houei-nêng dicta cette version :

Il n'y a pas d'arbre de l'éveil
Ni de miroir brillant.
Puisque tout est vide,
Où pourrait se poser la poussière ?

Hong-jen sut aussitôt qui comprenait son enseignement.

* C'est-à-dire l'arbre de l'Éveil, l'arbre sous lequel le Bouddha s'assit et atteignit l'éveil.

Dans ta demeure, vis près du sol.
Dans ta pensée, demeure simple.
Dans le conflit, montre-toi juste et généreux.
Dans le gouvernement, ne cherche point à dominer.
Dans le travail, fais ce qu'il te plaît.
En famille, sois entièrement présent.

TAO-TÖ KING.

Si innombrables que soient les êtres sensibles,
Je jure de les sauver tous.
Si inépuisables que soient les passions,
Je jure de les éteindre toutes.
Si incommensurables que soient les *dharma*,
Je jure de les dominer tous.
Si incomparable que soit la vérité du Bouddha,
Je jure de l'atteindre.

LES QUATRE SERMENTS.

Partout où il y a des hommes,
tu trouveras des mouches
et des bouddhas.

ISSA.

Tout ce qui vit est saint,
Et la vie prend plaisir à la vie.

WILLIAM BLAKE.

« Quels sont les enseignements de toute une vie ? demanda un moine à Yun-men.
— Un propos juste », lui répondit Yun-men.

MONDO ZEN.

Le Profane lisait un jour un *sûtra*, allongé sur sa couche. Un moine le vit et dit : « Profane ! Tu dois demeurer digne quand tu lis un *sûtra*. »

Le Profane leva une jambe.

Le moine ne trouva rien à dire.

Un jour, le grand maître Huang-po et un moine marchaient de concert, bavardant et riant comme de vieux amis. Arrivés au bord d'une rivière en crue, le moine voulut faire traverser le maître, mais Huang-po répondit : « Traverse tout seul, je te prie. »

Le moine marcha sur les flots comme sur un champ plat. Une fois de l'autre côté, il lança : « Traverse ! Traverse ! »

Le maître le gourmanda : « Sainte nitouche ! Si j'avais su que tu allais accomplir un miracle, je t'aurais brisé les jambes ! »

Le moine soupira, admiratif, et dit : « Tu es un vrai maître du Grand Véhicule. »

HISTOIRE ZEN.

Les ignares se délectent du faux clinquant et de la nouveauté.

Les gens cultivés trouvent leur plaisir dans l'ordinaire.

DICTON ZEN.

Quand tu as faim, mange ton riz. Quand tu es fatigué, ferme les yeux. Les sots peuvent rire de moi, mais les sages sauront ce que je veux dire.

LIN-TSI.

Vocabulaire du zen

DHARMA : loi cosmique, loi séculière, doctrine du Bouddha, la Voie, l'état général des choses. Concept central du bouddhisme.

KARMA : loi bouddhiste universelle de la cause et de l'effet.

NIRVÂNA : l'objectif du bouddhisme, état de qui s'est libéré du *karma* ; extinction de tout désir ; réalisation de la vraie nature de l'esprit.

TAO : la Voie, la source de réalité ; la vérité ; le principe ultime.

Ceux qui désirent le moins de choses sont les plus près des dieux.

SOCRATE.

J'ai jeté ma coupe lorsque j'ai vu un enfant boire à l'auge avec ses mains.

DIOGÈNE.

Assis
Au repos
Travaille.

Seul avec toi-même,
Jamais las.

À la lisière de la forêt
Vis joyeusement,
Sans désir.

LE BOUDDHA.

Voici ce que tu vas faire : aime la terre, le soleil et les animaux, méprise les richesses, fais l'aumône à quiconque te sollicite, prends le parti du sot et du fou, consacre ton revenu et tes peines à autrui, hais les tyrans, ne discute pas de Dieu...

Walt Whitman.

Quand le multiple est réduit à l'unique,
À quoi l'unique est-il réduit ?

KÔAN ZEN.

Au milieu de vingt
montagnes enneigées,
La seule chose émouvante
Était l'œil d'un merle noir.

WALLACE STEVENS.

En vérité, je vous le dis : qui n'accueille le Royaume de Dieu comme un enfant n'y entrera pas.

LUC 18,17.

Que mon cœur devienne pur et simple comme celui d'un enfant. Il n'est probablement de bonheur plus grand.

KITARO NISHIDA.

Le zen et l'art du haïku

Le haïku est la forme de poésie la plus brève de toute la littérature mondiale, mais ses trois petits vers de cinq, sept et cinq syllabes permettent d'exprimer des sentiments profonds et des éclairs soudains d'intuition. Il n'y a aucun symbolisme dans le haïku. Il saisit la vie telle qu'elle s'écoule. Il n'y a pas non plus d'égotisme ; le haïku est pour ainsi dire sans auteur. Mais dans l'intérêt porté à la trame simple, apparemment insignifiante, de la vie quotidienne — une feuille qui tombe, la neige, une mouche —, le haïku nous apprend à percer à jour la vie des choses et à prendre un aperçu de l'Éveil. Qui dit haïku ne dit pas forcément zen, mais qui dit zen dit haïku. Suivant le mot de R. H. Blyth, le haïku est « la fine fleur de toute la culture orientale ».

C'est le grand poète Bashô qui éleva le haïku à la forme qu'on lui connaît aujourd'hui. Parmi les autres poètes, il faut citer Buson, Issa, Ryokan et Shiki.

Comme tous les arts japonais associés à l'esprit du zen, le haïku évoque la solitude, l'esseulement ou le détachement — *sabi* — et l'esprit poignant de la pauvreté — *wabi*. Il y est toujours question d'une saison : les pruniers en fleur pour le printemps ou les branches nues pour l'automne, par exemple. Et comme tous les arts japonais, le haïku sait quand il en a assez dit :

Le papillon
Posé sur la cloche du temple,
Endormi.

BUSON.

Regardez, enfants,
Des grêlons !
Fuyons !

BASHÔ.

AUJOURD'HUI.

MOT GRAVÉ SUR UNE PIERRE QUE RUSKIN AVAIT POSÉE SUR SON BUREAU.

Hier, sur les marches en marbre du temple, je vis une femme assise entre deux hommes. L'une de ses joues était pâle, l'autre empourprée.

KHALIL GIBRAN.

De retour dans son université après cinq années dans les geôles de l'Inquisition, Luis Ponce de León reprit ses cours en disant : « Comme nous le disions hier... »

Un homme qui traversait un champ se trouva nez à nez avec un tigre. Il s'enfuit, le tigre à ses basques. Arrivé au bord d'une falaise, il s'accrocha à une liane et se balança. Le tigre le flaira d'en haut. Terrorisé, l'homme baissa les yeux : tout en bas, un autre tigre attendait, s'apprêtant à n'en faire qu'une bouchée. Deux souris, l'une blanche, l'autre noire, se mirent à ronger la liane, petit à petit. Juste à côté de lui, l'homme aperçut une framboise qui promettait d'être savoureuse. Se tenant d'une main à la liane, il cueillit la framboise de l'autre. Qu'elle était succulente !

PARABOLE ZEN.

La grange a brûlé :
Maintenant
Je puis voir la lune.

MASAHIDE.

Chaque jour est un bon jour.

YUN-MEN.

Aime seulement ce qui t'arrive.

MARC AURÈLE.

Penser est plus intéressant que savoir, mais moins intéressant que regarder.

GOETHE.

Toute la vie est dans le verbe « voir ».

TEILHARD DE CHARDIN.

De la vallée, on voit de grandes choses. Du pic, on n'en voit que des petites.

K. CHESTERTON.

On ne voit bien qu'avec le cœur. L'essentiel est invisible à l'œil.

ANTOINE DE SAINT-EXUPÉRY.

Nous sommes plus curieux du sens des rêves que des choses que nous voyons éveillés.

DIOGÈNE.

Sitôt sur la Montagne froide,
Les ennuis cessent —
Finies la confusion et l'indécision.
Je griffonne des poèmes sur la falaise,
Prenant tout ce qui vient,
Comme un bateau à la dérive.

HAN SHAN.

Attrape
Le cheval fougueux
De ton esprit.

DICTON ZEN.

Que le néant soit dans tes balles.

LE ZEN DU GOLF.

Si quelqu'un te lance
une tasse de thé,
— attrape-la !
Attrape-la lestement avec
du coton tendre,
Avec le coton de ton
esprit délié !

BANKEI.

Tout ce qui intéresse est intéressant.

William Hazlitt.

Les melons semblent frais
Mouchetés de boue
De la rosée du matin.

Bashô

Apprends-nous à goûter les
choses simples,
et l'allégresse qui n'a point de
sources amères ;
Le pardon libre de tout
méfait,
Et l'amour de tous les
hommes sous le soleil.

RUDYARD KIPLING.

Le zen et l'art du thé

Depuis le temps de Bodhidharma, le thé et le zen ont eu partie liée. Comme par un fait exprès, c'est Eisai, l'un des premiers maîtres zen du Japon, qui rapporta de Chine des graines de thé. Et c'est Rikyu, un élève, qui raffina l'art du thé, *cha-no-yu*, au VIe siècle.

Comme le zen, l'art du thé vise la simplification. Il consiste simplement à faire bouillir l'eau, à préparer le thé et à le boire. Son esprit évoque l'harmonie, la révérence, la pureté, la tranquillité, la pauvreté et la solitude ; et il a profondément influencé les arts de l'arrangement floral, de la poterie et de l'architecture. La cérémonie elle-même se déroule dans une cabane de chaume toute simple : la « demeure de vacuité ». Les ustensiles sont peu nombreux et sans prétention, et la pièce ne contient rien d'autre — si ce n'est, le cas échéant, un bouquet de fleurs ou une seule peinture.

Le salon de thé ne peut recevoir que quatre ou cinq

personnes, accueillies par le chant de la bouilloire — à l'intérieur de laquelle sont placés des bouts de fer destinés à produire des sons suggérant une lointaine chute d'eau ou le vent qui souffle à travers les pins. Un cérémonial élaboré régit la manière de retirer les feuilles vertes et épaisses et de servir le thé, de faire passer les ustensiles et de les admirer — tout cela, paradoxalement, pour atteindre l'état d'un art sans art.

Notre Père qui êtes aux cieux,
Restez-y
Et nous resterons sur la terre
Qui est parfois si jolie.

JACQUES PRÉVERT.

Nous regardons
Même les chevaux
Ce matin de neige.

BASHÔ.

Dieu est en moi, ou il n'est pas.

WALLACE STEVENS.

Les bibles et les religions, nous les disons divines —
Je ne dis pas qu'elles ne sont pas divines,
Je dis qu'elles sont toutes nées de toi, et
Peuvent encore naître de toi,
Ce n'est pas elles qui donnent la vie, c'est toi
Qui donnes la vie,
Les feuilles ne sont pas plus répandues par les arbres,
Ou les arbres par la terre, qu'ils ne sortent
De toi.

WALT WHITMAN.

Dieu est omniprésent... Un ange dans un ange, une pierre dans une pierre, un fétu de paille dans un fétu de paille.

JOHN DONNE.

Une boulette
de ciel-et-terre
Roulée à la main :
Je l'ai avalée,
Et elle est passée
facilement.

DIM SUM ZEN.

Les couinements de la pompe paraissent aussi nécessaires que la musique des sphères.

THOREAU.

Vents, ondes, flammes, arbres, roseaux, rochers, tout vit ! Tout est plein d'âmes.

VICTOR HUGO.

Ne cherche pas, je te prie, ce qui se cache derrière les phénomènes. Ils sont à eux-mêmes leur propre leçon.

GOETHE.

Seuls les gens superficiels ne jugent pas sur les apparences.

OSCAR WILDE.

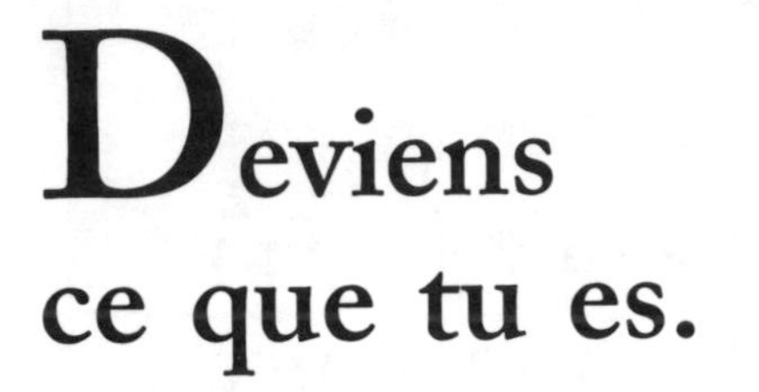

Deviens
ce que tu es.

NIETZSCHE.

Il faut danser la vie.

NIETZSCHE.

Vocabulaire du zen

PRAJÑÂ : sagesse intuitive, intuition de la vacuité ou de la vraie nature de la réalité.

SHÛNYATÂ : vacuité ou vide, sans essence ; notion cruciale du bouddhisme.

HARA : ventre, entrailles, centre spirituel de la personne.

SAMSÂRA : cycle des renaissances.

HINAYÂNA : littéralement, « Petit Véhicule » ; nom donné par les bouddhistes du Nord au bouddhisme du Sud (Asie du Sud-Est).

MAHÂYÂNA : « Grand Véhicule » ; bouddhisme du Nord (Chine, Corée, Japon).

Dieu a tout fait à partir de rien. Mais le rien perce.

PAUL VALÉRY.

Imaginez une particule sans masse.

KÔAN DE LA PHYSIQUE MODERNE.

◪

Dis un mot la bouche fermée.

DICTON ZEN.

De l'argile nous faisons un pot,
Mais c'est le vide à l'intérieur
Qui retient ce que nous voulons.

TAO-TÖ KING.

Les notes, je ne les manipule pas mieux que de nombreux pianistes. Mais les pauses entre les notes : tout l'art est là !

ARTHUR SCHNABEL.

Même une bonne chose n'est pas aussi bonne que rien.

DICTON ZEN.

Parmi les grandes choses à trouver parmi nous, l'Être du Néant est la plus grande.

LÉONARD DE VINCI.

Je n'ai rien à dire, je le dis. Voilà la poésie.

JOHN CAGE.

Tu dis que mes poèmes sont
de la poésie ?
Ça n'en est pas.
Pourtant, si tu comprends
que ça n'en est pas,
Tu en vois la poésie.

RYOKAN.

Personne n'a une bouche assez grande pour dire le tout.

Alan Watts

L'Éveil

L'Éveil — *satori, kensho* — est l'objectif fondamental du zen. Être éveillé, c'est voir clair dans sa nature, réaliser son état de bouddha, se délivrer du cycle de la naissance et de la mort. C'est « mourir entièrement et revenir à la vie ». Ainsi peut-on lire dans le *Denkoroku* : « Même si tu restes assis jusqu'à ce que ton siège craque [...], même si tu agis avec noblesse et si ta conduite est pure, si tu n'as point atteint le *satori*, tu ne saurais t'arracher à la prison du monde. »

Le zen fourmille d'exemples d'imprévus qui déclenchent l'Éveil : Bouddha apercevant l'étoile du matin, Bankei crachant un caillot de sang, Hsiang-yen entendant le bruit d'un caillou frappant un bambou. Mais c'est au maître Sokei-an Sasaki que l'on doit l'une des meilleures descriptions de l'expérience : « Un jour, je chassai toute notion de mon esprit. Je renonçai à tout désir. Je rejetai tous les mots avec lesquels je pensais pour demeurer tranquillement assis. J'éprouvai une étrange sensation — comme si j'étais porté dans quelque chose, ou comme si je touchais quelque force inconnue de moi... et pfuit ! j'entrai. Mon corps physique perdit sa limite. Certes j'avais ma peau, mais j'avais l'impression d'être debout au centre du cosmos. Je parlais, mais mes mots avaient perdu leur signification. Je voyais des gens venir à moi, mais ils étaient tous le même homme. Tous étaient moi ! Je n'avais jamais vu ce monde. J'avais cru à la création, mais il me faut maintenant changer d'avis : je n'ai jamais été créé ; j'étais le cosmos ; il n'y a jamais eu de M. Sasaki. »

La quiétude du sage ? Il n'est pas quiet parce que la quiétude est réputée bonne. Il est quiet parce que la multitude des choses ne saurait troubler sa quiétude. Quand l'eau est calme, la barbe et les sourcils s'y reflètent. Un charpentier habile s'en sert comme niveau pour ses mesures. Si l'eau calme est si claire, que dire des facultés mentales ? L'esprit du sage est le miroir du ciel et de la terre, dans lequel toutes les choses se réfléchissent.

TCHOUANG-TSEU.

L'Éveil est pareil au reflet de la lune sur l'eau. La lune n'est pas mouillée, pas plus que l'eau n'est troublée. Bien que sa lumière soit grande et forte, la lune se reflète même dans une toute petite mare de rien du tout. La lune entière et tout le ciel se reflètent dans une goutte de rosée sur l'herbe.

DÔGEN.

Comme le toit fuyait, un maître zen demanda à deux moines d'apporter quelque chose pour recueillir l'eau. L'un apporta une bassine, l'autre un panier. Le premier fut sévèrement grondé, le second fort loué.

KÔAN ZEN.

Le fond d'un seau est percé.

MAÎTRE ZEN, *sur l'Éveil.*

Un ancien a dit : « De même que le loup ne s'accouple pas avec la brebis pour engendrer un petit, le contentement du ventre ne s'associe point à la peine pour engendrer une vertu. »

PAROLES D'UN PÈRE DU DÉSERT.

Dix ans de recherche
dans la forêt profonde.
Aujourd'hui, grand éclat
de rire au bord du lac.

Soen.

Étudier le bouddhisme, c'est étudier le moi. Étudier le moi, c'est oublier le moi. Oublier le moi, c'est être éclairé par toutes les choses. Être éclairé par toutes les choses, c'est se dépouiller de son corps et de son esprit, et dépouiller le corps et l'esprit des autres. Nulle trace d'éveil ne subsiste, et cette non-trace n'en finit pas.

DÔGEN.

La vérité, toute la vérité.
Plus serait excessif.

ROBERT FROST.

La nuit, assis au cœur de la forêt,
je médite.
Les affaires des hommes ne viennent jamais jusqu'ici :
tout est calme et vide,
Tout l'encens du monde,
la nuit sans fin l'a englouti.
Ma robe est devenue un habit de rosée.
Incapable de dormir, je m'enfonce dans les bois —
Soudain, au-dessus de la plus haute des cimes,
paraît la pleine lune.

RYOKAN.

Chaque homme s'accroche désespérément à sa mauvaise étoile.

CIORAN.

Nuage fou

Génie excentrique, vénéré autant pour son esprit que pour sa compréhension, Ikkyû Sojun (1394-1481) est une figure chérie du zen japonais. La rumeur en fit le fils de l'empereur et d'une dame d'honneur. Enfant brillant, il aimait à dénoncer l'hypocrisie du zen de son temps, aussi ridicule que corrompu. Par la suite, il chercha le maître le plus intransigeant de son temps. Après s'être soumis des années durant à une formation sévère, il connut un éveil soudain un jour que, dérivant de nuit dans une barque sur le lac Biwa, il entendit le cri rauque d'un corbeau.

Son maître disparu, Ikkyû devait errer trente années durant, fréquentant toutes les couches de la société : nobles, marchands, prostituées, lettrés et artistes. Il goûta aux plaisirs des femmes et du saké et continua à cracher à la face de l'orthodoxie.

Ikkyû, qui se donna lui-même le sobriquet de

« Nuage fou », fut un peintre, doublé d'un calligraphe et d'un poète influent. Voici deux de ses poèmes, particulièrement chéris des adeptes du zen :

VIDE DANS LA FORME

Quand, telles quelles,
Les gouttes de rosée blanche s'assemblent
Sur les feuilles d'érable écarlates,
Regarde les perles écarlates !

FORME DANS LE VIDE

L'arbre est dépouillé,
Toute couleur, toute fragrance envolées,
Mais déjà sur le rameau
Insouciant printemps !

Nous naissons, pour ainsi dire, provisoirement quelque part. C'est peu à peu que nous composons en nous le lieu de notre origine pour y naître après coup, et chaque jour plus définitivement.

Rainer Maria Rilke.

La voie sinueuse est la voie la plus courte aux yeux de Dieu.

Proverbe portugais.

À la fin du troisième jour, à l'instant même où, au crépuscule, nous nous frayions un chemin à travers un troupeau d'hippopotames, ces quelques mots, aussi imprévus qu'impromptus, illuminèrent mon esprit : « Respect de la vie. »

ALBERT SCHWEITZER.

Les rochers sont à leur place : telle est leur volonté.
Les rivières coulent : telle est leur volonté.
Les oiseaux volent : telle est leur volonté.
Les êtres humains parlent : telle est leur volonté.
Les saisons changent, le ciel nous envoie la pluie ou la neige, la terre tremble parfois, les vagues roulent, les étoiles brillent : tous suivent leur volonté.
Être, c'est vouloir et ainsi devenir.

D.T. Suzuki.

Confucius entre dans un temple et demande à être éclairé. « Quel farceur ! s'écrie un vaurien. On dit qu'il connaît le rituel, et il veut se le faire expliquer ! » Confucius se retourne et dit : « C'est ça, le rituel. »

LÉGENDE DE CONFUCIUS.

« Je ne veux plus
avoir affaire à ce monde
sordide »,
et se détache la goutte
de rosée.

Issa.

Une branche effeuillée
Un corbeau perché —
Cette veille d'automne.

BASHÔ.

DANS UNE STATION DE MÉTRO

L'apparition de ces visages
    dans la foule ;
Pétales sur un rameau humide,
    noir.

EZRA POUND.

Les hommes discutent, La nature agit.

VOLTAIRE.

Quand il souffle, le vent de
la montagne est violent,
Mais quand il ne souffle pas, il
ne souffle pas. Tout simplement.

EMILY BRONTË.

S'asseoir tranquillement, ne rien faire,
Vient le printemps, et l'herbe
Pousse d'elle-même.

DICTON ZEN.

Bien entendu ! Le corps dharmique du Bouddha était la haie au fond du jardin. En même temps, et non moins clairement, c'étaient ces fleurs, c'était tout ce que moi — ou plutôt le bienheureux non-moi —, je prenais la peine de regarder.

ALDOUS HUXLEY.

Voir un Monde dans un
grain de sable,
Et un Ciel dans une fleur
sauvage,
Tenir l'infini dans la paume
de ta main,
Et l'Éternité dans une heure.

WILLIAM BLAKE.

Pour faire une prairie, il faut
un trèfle et une abeille,
Un trèfle, et une abeille,
et la rêverie.
La rêverie seule suffira,
Si les abeilles sont peu
nombreuses.

EMILY DICKINSON.

Bashô

S'il ne fut pas un moine zen, Matsuo Bashô (1644-1694) est le plus grand poète japonais et sans conteste l'un des plus grands poètes lyriques du monde : c'est lui qui fit de la forme du haïku un véritable art et qui lui insuffla l'esprit du zen et du tao. « Apprenez bien les règles, puis oubliez-les », conseillait-il à ses élèves. Il disait aussi : « Veux-tu connaître le pin, va jusqu'au pin. Veux-tu connaître le bambou, va voir un bambou. Et, ce faisant, tu dois te défaire de l'intérêt subjectif que tu portes à ton petit moi... Ta poésie naît d'elle-même dès lors que l'objet et toi ne font plus qu'un. »

Bashô vénérait la nature, les enfants, la lune. Il aimait l'univers jusque dans le détail le plus infime et le considérait avec l'œil innocent d'un enfant ; il occupa ses dernières années à accomplir des pèlerinages solitaires à travers le Japon. « Le vieil étang », le plus connu de ses haïkus, a été interprété comme une espèce de *kôan*, la grenouille découvrant le sens ultime de la réalité :

Le vieil étang,
Une grenouille y saute -
Plop.

Quand un poisson nage, il nage sans fin. L'eau n'en finit pas. Quand un oiseau vole, il vole sans fin. Les cieux n'ont pas de limite. On n'a jamais vu un poisson nager hors de l'eau, ni un oiseau voler hors du ciel. Quand ils ont besoin d'un peu d'eau ou d'un peu de ciel, ils en prennent juste un petit peu ; quand il leur en faut beaucoup, ils en prennent beaucoup. Ainsi se servent-ils de tout au même moment, et en chaque lieu ils jouissent d'une parfaite liberté.

DÔGEN.

Voyez les lis des champs, comme ils poussent ; ils ne peinent ni ne filent.
Et pourtant je vous le dis, Salomon lui-même, dans toute sa gloire, n'a jamais été vêtu comme l'un d'eux.

MATTHIEU 6,28-29.

On peut concevoir chaque portion de matière comme un jardin plein de plantes et comme un étang plein de poissons. Mais chaque branche de la plante, chaque membre de l'animal, chaque goutte de ses humeurs, est aussi un jardin ou un étang.

LEIBNIZ.

Tel le corps humain
est le corps cosmique.
Tel l'esprit humain
est l'esprit cosmique.
Tel le microcosme
est le macrocosme.
Tel l'atome
est l'univers.

LES UPANISHAD.

Il n'est pas vénérable parce qu'il a le chef blanchi, il a atteint l'âge mûr : on l'appelle le chenu-en-vain.

LE BOUDDHA.

La terre est gorgée de ciel
Et chaque buisson brûle du feu de Dieu,
Mais seul celui qui voit retire ses souliers.

Elisabeth Barrett Browning.

Un homme ne perd rien d'essentiel s'il perd les cheveux ou même la main. Mais chez l'Ange tout est nécessaire, tout est l'Ange.

MAÎTRE ECKHART.

J'ai forgé mon hosanna au creuset du doute.

DOSTOÏEVSKI.

Une tempête de neige disparaît dans la mer. Quel silence !

DICTON POPULAIRE ZEN

Frappe le ciel et écoute le bruit !

DICTON ZEN.

Ce magnifique papillon trouve un petit tas de saleté et se pose dessus ; mais jamais l'homme ne se tiendra tranquille sur son tas de crotte...

JOSEPH CONRAD.

Avec la brise du soir
L'eau clapote
Autour des pattes du
héron.

Buson.

Un seul monde réel est bien suffisant.

SANTAYANA.

Chaque molécule prêche la loi parfaite,
Chaque instant chante le vrai *sûtra* :
La pensée la plus fugitive est intemporelle,
Un seul cheveu suffit à agiter la mer.

SHUTAKU.

Physique moderne

Voici ce qu'on peut lire au début du *Sûtra du Cœur*, ouvrage bouddhiste qui occupe une place de choix dans le zen :

La forme n'est pas différente de la vacuité.
La vacuité n'est pas différente de la forme.
La forme est précisément vacuité,
la vacuité précisément forme.

Deux mille ans plus tard, des physiciens occidentaux approuvent.

La mécanique quantique et la théorie de la relativité, par laquelle Einstein a remis en cause l'idée d'une identité séparée de l'énergie et de la matière, ont irrévocablement changé notre conception de l'univers. Elles ont fait exploser notre vision confortable d'un univers se composant de petits morceaux de matière au comportement logique.

Une particule n'est pas une entité séparée, mais un ensemble de relations. Le monde est un tissu d'événements intimement liés, un tout dynamique d'un seul tenant. Les hommes de science ne sont plus des observateurs, mais des acteurs. La physique et la mystique convergent, les parallèles sont frappants, la boucle est bouclée.

« Dans les découvertes de la physique moderne sommeille une formidable conscience : la conscience des pouvoirs jusqu'ici insoupçonnés de l'esprit, qui façonne la « réalité », plutôt que l'inverse. En ce sens, la philosophie de la physique est de plus en plus difficile à distinguer de la philosophie du bouddhisme, qui est la philosophie de l'Éveil. »

GARY ZUKOV, *The Dancing Wu-Li Masters*

L'être et la nature des choses procèdent de leur dépendance mutuelle. En elles-mêmes, elles ne sont rien.

NAGARJUNA,
philosophe bouddhiste du IIe siècle.

Une particule élémentaire n'est pas une entité inanalysable, existant en toute indépendance. C'est, fondamentalement, un ensemble de relations tendues vers autre chose.

H. P. STAPP, *physicien du XXe siècle.*

Pour le profane, une page d'une revue de physique expérimentale moderne sera aussi mystérieuse qu'un mandala tibétain. L'une et l'autre font état de recherches sur la nature de l'univers.

FRITJOF CAPRA.

Je suis toujours stupéfait par les gens qui veulent « connaître » l'univers quand il est si difficile de retrouver son chemin dans Chinatown.

WOODY ALLEN.

Si nous demandons, par exemple, si la position de l'électron demeure la même, nous devons répondre « non » ; si nous demandons si la position de l'électron change avec le temps, nous devons dire « non » ; si nous demandons si l'électron est au repos, nous devons dire « non » ; si nous demandons s'il est en mouvement, la réponse est encore « non ».

J. ROBERT OPPENHEIMER.

La « question idiote » est souvent le premier signe annonciateur d'une orientation entièrement nouvelle.

ALFRED NORTH WHITEHEAD.

Le monde est chargé
de la grandeur de Dieu.

GERARD MANLEY HOPKINS.

Le Bouddha, la divinité sont tout aussi à l'aise dans les circuits d'un ordinateur digital ou dans les organes de transmission d'une motocyclette qu'au sommet d'une montagne ou dans les pétales d'une fleur. Penser autrement, c'est abaisser le Bouddha, c'est-à-dire s'abaisser soi-même.

ROBERT M. PIRSIG,
Traité du zen et de l'entretien des motocyclettes.

Fort de toute ta science, peux-tu dire comment et d'où vient cette lumière qui entre dans l'âme ?

THOREAU.

Rien de plus simple que de poser une question difficile.

W. H. Auden.

Quel est ton visage originel avant que ton père et ta mère ne soient nés ?

KÔAN ZEN.

Il est aussi difficile de se voir soi-même que de regarder en arrière sans se retourner.

THOREAU.

Sonde ta propre vision, retourne-toi sur l'esprit qui pense. Qui est-ce ?

Wu-men.

Ce qui nous trouble, c'est la propension à voir l'esprit comme un homoncule intérieur.

LUDWIG WITTGENSTEIN.

Grande foi,
Grand doute,
Grands efforts.

LES TROIS QUALITÉS NÉCESSAIRES
À LA FORMATION.

Kung Yi-tsu était réputé pour sa force. Le roi Hsuän de Chou lui rendit visite en grande pompe à seule fin de découvrir que Kung était un avorton. « Jusqu'où va ta forcc ? » demanda le roi. Kung répondit : « Je puis briser la taille d'un insecte du printemps, je puis porter l'aile d'une cigale d'automne. » Le roi s'empourpra. « Je suis assez fort pour déchirer le cuir du rhinocéros et tirer neuf bœufs par la queue, et pourtant je déplore ma faiblesse. Comment se fait-il que tu sois si réputé pour ta force ? — Ce n'est pas pour ma force que je suis fameux, répondit Kung, mais pour ce que je sais en faire. »

Un moine apporta à son maître deux plantes en pot. « Lâche ça ! » ordonna le maître. Le moine lâcha un pot. « Lâche ça ! » ordonna de nouveau le maître. Le moine laissa tomber le second pot. « Lâche ça ! » rugit maintenant le maître. Le moine : « Mais je n'ai rien à lâcher, balbutia le moine. — Alors emporte-le », fit le maître en hochant la tête.

PARABOLE ZEN.

Débarrasse-toi de ton petit moi pour obéir au MOI.

DICTON ZEN.

Ce qui fait la vraie valeur d'un être humain, c'est de s'être délivré de son petit moi.

ALBERT EINSTEIN.

« Qui te retient ? demanda le maître zen.

— Personne, répondit le chercheur de liberté.

— Alors pourquoi chercher la délivrance ? » demanda le maître zen.

MONDO ZEN.

D. T. Suzuki

Le savant laïque zen Daisetz Teitaro Suzuki (1870-1966) a initié des générations d'Occidentaux au bouddhisme zen : l'œuvre de transmission culturelle ainsi accomplie tient du tour de force. Après avoir donné une traduction anglaise du *Discours d'Ashvagosha sur l'éveil de la foi dans le Mahâyâna*, D. T. Suzuki publia des dizaines d'ouvrages et de très nombreux articles éclairant le zen à l'intention des Occidentaux. Se refusant à une analyse tant historique que philosophique, il définit le zen comme « un nuage flottant dans le ciel, qu'aucun écrou ne fixe, ni aucune corde ne retient... ».

Dans les années cinquante, il s'installa à New York et enseigna à Columbia : Erich Fromm, John Cage, Karen Horney et d'autres se pressèrent à ses cours. Depuis, il n'a cessé de captiver l'imagination du grand public. Directs, pleins d'humour, enracinés dans l'expérience et l'érudition, ses livres ont connu une large diffusion, dont la grande presse et la télévision se sont fait l'écho. « Quand on le rencontrait, confiera Thomas Merton, on croyait être en présence de cet "Homme vrai sans titre" dont parlent les maîtres zen. Et naturellement c'est l'homme qu'on a vraiment envie de rencontrer. »

« Le zen est le dernier mot de la philosophie, écrivit Suzuki. Le fait psychique ultime, qui survient lorsque la conscience religieuse est développée à l'extrême [...] chez les bouddhistes, les chrétiens, les philosophes. »

Dans son essence, le zen est l'art de percer à jour sa nature et indique la voie qui mène de la servitude à la liberté.

D.T. SUZUKI.

La fin du zen est la perfection du caractère.

YAMADA ROSHI.

Connais-toi toi-même ? Si je me connaissais, je fuirais.

GOETHE.

Qui se connaît soi-même connaît Dieu.

MAHOMET.

Il n'est rien
de plus terrifiant
que de s'accepter
complètement.

Carl G. Jung.

Si tu plonges longtemps ton regard dans l'abîme, l'abîme te regarde aussi.

NIETZSCHE.

Plus nous comprenons les différentes choses, plus nous comprenons Dieu.

SPINOZA.

Un jour que Chao-chou était tombé dans la neige, il appela : « À l'aide ! À l'aide ! » Un moine vint s'allonger à côté de lui. Chao-chou se leva et s'en alla.

KÔAN ZEN.

Apprendre la Voie, c'est
s'apprendre soi-même.
S'apprendre, c'est s'oublier.
S'oublier, c'est actualiser
toutes les existences.
Actualiser toutes les
existences,
c'est dépouiller corps
et esprit,

tant pour soi que
pour les autres,
effacer toute trace
d'éveil
et faire apparaître
l'éveil sans trace.

DÔGEN.

Qui est le potier, dis,
Qui est le pot ?

OMAR KHAYYAM, *Les Rubáiyát*.

**Qui connaît les autres
est sage.
Qui se connaît soi-même
est éclairé.**

TAO-TÖ KING.

L'homme ne joue que lorsqu'il est homme au sens plein du terme, et il n'est complètement homme que lorsqu'il joue.

FRIEDRICH VON SCHILLER.

Ah, mais c'est que j'étais beaucoup plus vieux à cette époque. J'ai bien rajeuni depuis.

Bob Dylan.

Un grand sot

Daigu Ryôkan (littéralement : « le Grand Sot ») est l'un des personnages les plus prisés de la tradition populaire japonaise. Moine et poète zen, il aimait la compagnie des enfants et un jeu de balle qu'il appelait « la plus haute forme du zen ».

Ayant reçu le sceau de l'Éveil de son maître *sôtô*, Ryôkan (1758-1831) choisit de ne pas prendre d'élèves mais, à l'instar des moines d'autrefois, de méditer dans la solitude comme un ermite des montagnes vivant d'aumônes. Il traversa des périodes de misère noire sans jamais perdre son extraordinaire innocence et sa pureté de cœur. Un cambrioleur ayant mis sa cabane à sac sans rien découvrir de valeur, Ryôkan écrivit un haïku :

Le voleur l'a laissée là
Là dans la fenêtre —
La lune brillante.

La poésie de Ryôkan compte parmi les trésors de la littérature zen tandis que la légende s'est emparée d'épisodes trahissant son essence de « grand sot ». Ainsi de cette partie de cache-cache : à la tombée de la nuit, les enfants qui cherchaient Ryôkan rentrèrent chez eux, tandis que le moine ne voulut pas quitter sa cachette. Le lendemain matin, un paysan le découvrit derrière une meule de foin. « Chut, fit-il, ou les enfants vont me trouver ! »

La théologie joue
avec la « vérité »
comme un chat
avec une souris.

Paul Valéry.

Peux-tu marcher sur l'eau ? Tu n'as pas fait mieux qu'un fétu de paille.

Peux-tu voler dans les airs ? Tu n'as pas fait mieux qu'une mouche à viande.

Conquiers ton cœur et tu pourras devenir quelqu'un.

ANSARI DE HERAT.

On perd bien des soucis quand on décide d'être non plus quelque chose, mais quelqu'un.

Coco Chanel.

Le moi dit : je suis.
Le cœur dit : je suis moins.
L'esprit dit : je ne suis rien.

THEODORE ROETHKE.

Ce qui dépasse le moi et l'autre, tel est l'objet de mon enseignement. Permets-moi de te le prouver. Tout le monde se tourne ainsi pour m'entendre, quand dehors il y a sans doute des moineaux qui pépient, des voix humaines qui appellent, ou le vent qui soupire. Mais tu n'as aucun effort à faire pour que chacun de ces bruits te parvienne clairement. Ce n'est pas toi qui entends. Ton moi n'est pour rien là-dedans. Mais comme personne d'autre n'entend à ta place, tu ne saurais l'appeler l'autre ! Quand tu écoutes ainsi avec l'esprit inné du Bouddha, tu dépasses tout ce qui est.

BANKEI.

Vois sans regarder, entends sans écouter, respire sans demander.

W. H. AUDEN.

La vie est ce qui t'arrive quand tu es occupé à faire d'autres projets.

JOHN LENNON.

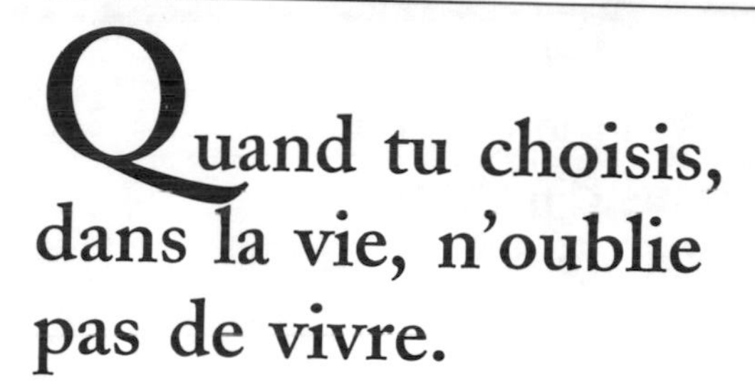

Quand tu choisis, dans la vie, n'oublie pas de vivre.

SAMUEL JOHNSON.

Quiconque en l'éternité
passe plus d'un jour
Est aussi vieux que jamais
Dieu ne pourra être.

ANGELUS SILESIUS.

Le but de la vie est de vivre, et vivre signifie être conscient, joyeusement, jusqu'à l'ébriété — sereinement, divinement conscient.

HENRY MILLER.

Les clodos du dharma

C'était dans les années cinquante. Le zen faisait une entrée soudaine. Une poignée d'Américains s'en étaient allés au Japon, après la guerre, et fréquentaient ses monastères. Daisetz T. Suzuki donnait des cours à Columbia. À Los Angeles, le *zendô* flottant de Nyogen Senzaki attirait les adeptes en masse. Le zen semblait omniprésent.
Mais personne n'incarna le premier engouement de l'Amérique pour le zen mieux que la *Beat Generation* : Jack Kerouac, Gary Snyder, Allen Ginsberg, Philip Whalen, Lew Welch et d'autres artistes et écrivains. Ils étaient les « cinglés du zen », comme les appelle Kerouac dans *Les Clodos du dharma* (traduit en français sous le titre *Les clochards célestes*), son roman de 1958 où il évoque la figure de Japhy Ryder (*alias* Gary Snyder) et les milieux bouddhistes et poétiques de la côte ouest.

Kerouac fit de la première vérité noble du bouddhisme — *toute vie est souffrance* — le fondement philosophique de ses écrits. Dans l'idée de *satori* Ginsberg trouva l'explication d'une vision puissante qu'il avait eue autrefois. Snyder entendit parler pour la première fois du zen à la faculté et devait ensuite passer près d'une décennie à poursuivre ses études au Japon — tenant, avant de partir, ces propos que Kerouac a repris dans son roman :
« Je vois [...] une grande révolution du sac à dos, des milliers, voire des millions de jeunes Américains vagabondant sac au dos, gravissant les montagnes pour prier, faisant rire les enfants, et des vieillards joyeux, rendant heureuses des jeunes filles, et des vieilles filles plus heureuses — tous des cinglés du zen qui se mettent à écrire les poèmes qui leur passent par la tête sans raison... des bandes sauvages de saints hommes purs qui se rassemblent pour boire, parler et prier. »

L'Éveil, c'est perdre tout bénéfice. C'est s'endommager. L'Éveil est pareil à l'esprit du voleur qui pénètre dans une maison vide. Il n'y a rien à voler, aussi n'a-t-il rien à faire.

TAISEN DESHIMARU.

Comme il est rafraîchissant,
Le hennissement d'un cheval de bât
Déchargé de tout !

DICTON ZEN.

Plus tard, il se souvint de certains moments dans lesquels la force de *cet* instant était déjà contenue, comme en germe. Il songea à l'heure, dans cet autre jardin méridional (Capri), où l'appel d'un oiseau ne se brisa point, pour ainsi dire, à la lisière de son corps, mais fut simultanément au-dehors et au plus profond de lui, réunissant les deux en un espace ininterrompu dans lequel, mystérieusement protégé, ne demeurait qu'un seul lieu de conscience on ne peut plus pur et profond. À cette occasion, il avait fermé les yeux... et l'Infini pénétra en lui de tous côtés, si intimement qu'il crut sentir les étoiles apparues entre-temps, reposant délicatement dans sa poitrine.

RAINER MARIA RILKE.

Ainsi verras-tu ce monde
flottant :
Une étoile à l'aube, une bulle
dans un ruisseau ;
Un éclair dans un nuage d'été,
Une lampe vacillante, un fantôme
et un rêve.

LE BOUDDHA.

Quand je danse, je danse ; quand je dors, je dors ; oui, et quand je me promène solitairement en un beau verger, si mes pensées se sont entretenues des occurrences étrangères quelque partie du temps, quelque autre partie je les ramène à la promenade, au verger, à la douceur de cette solitude et à moi.

MONTAIGNE, *Essais*, III, XIII.

L'homme ne peut supporter trop de réalité.

ROBERT L. FROST.

On raconte que l'un des anciens gisait sur son lit de mort, à Scete. Les frères se pressèrent autour de lui, le vêtirent de son linceul et se mirent à pleurer. Mais l'aîné ouvrit les yeux et rit. Il rit une deuxième fois, puis une troisième fois. Voyant cela, les frères l'interrogèrent : « Dis-nous, père, pourquoi ris-tu tandis que nous pleurons ? » Il leur répondit : « La première fois, j'ai ri parce que vous craignez la mort. La deuxième fois, parce que vous n'êtes pas préparés à la mort. Et la troisième, parce que je quitte mes peines pour le repos. » À peine eut-il prononcé ces mots qu'il ferma les yeux et mourut.

ERMITE DU DÉSERT ZEN.

Dieu, sois dans ma tête
Et dans mon entendement ;
Dieu, sois dans mes yeux
Et dans mon regard ;
Dieu, sois dans ma bouche
Et dans ma parole ;
Dieu, sois dans mon cœur
Et dans ma pensée ;
Dieu, sois à ma fin
Et à mon départ.

MISSEL DE SARUM.

Poésie de la mort

Suivant la tradition, un maître zen sur le point de mourir devait écrire un dernier poème. Chargé de son esprit, le poème du maître était un bilan de sa vie en même temps qu'un cadeau de séparation destiné à inspirer ses disciples.

Les uns sont de légers reproches :

Allées et venues, vie et mort :
Un millier de hameaux, un million de maisons.
Vous ne saisissez pas ?
La lune dans l'eau, la fleur dans le ciel.
GIZAN.

D'autres expriment le soulagement au terme d'une vie d'épreuves :

Enfin hors d'atteinte —
Ni servitude, ni dépendance.

Que l'océan est calme,
Qu'il est furieux, le vide.
TESSHO.

D'autres encore sont de simples haussements d'épaules :

La vie telle que nous
la trouvons — la mort aussi.
Un poème d'adieu ?
Pourquoi insister ?
TA-HUI TSUNG-KAO.

D'autres enfin exultent :

Cinquante-quatre ans
Que j'accroche des étoiles dans le ciel.
Maintenant je saute au travers —
Quel fracas !
DÔGEN.

Je regarde le dernier coucher du soleil.
J'entends le dernier oiseau.
Je lègue le néant à personne.

JORGE LUIS BORGES.

Un monde à la fois.

THOREAU,
alors qu'on l'interrogeait sur l'au-delà.

Lève-toi et
rends-toi utile,
Le travail fait partie
du *kôan* !

HAKUIN.

Coupe du bois,
Porte de l'eau.

DICTON ZEN.

Soulève la pierre et tu me trouveras ;
Fends le bois, et je suis là.

JÉSUS.

Un moine demanda à Chao-chou : « Je viens d'entrer au monastère : je t'en prie, donne-moi un conseil.

— As-tu mangé ton gruau de riz ? demanda Chao-chou.

— Oui, je l'ai mangé, répondit le moine.

— Alors, va laver ton bol. »

MONDO ZEN.

Dôgen

Alors que le zen était encore dans son enfance au Japon, un dénommé Dôgen (1200-1253), moine de talent, brava les dangers d'un voyage en Chine pour y chercher la Voie. Il rencontra de nombreux maîtres et reçut un certificat d'éveil, mais c'est peut-être le vieux cuisinier d'un monastère chinois, venu acheter des champignons japonais auprès du navire qui venait d'accoster, qui donna à Dôgen le goût le plus pur du zen. Dôgen le pria de rester, mais le cuisinier s'excusa, prétextant qu'il devait retourner à ses obligations. Surpris, Dôgen lui demanda pourquoi il ne pratiquait pas le *zazen* pour abandonner la nourriture à d'autres — suggestion que le vieux cuisinier accueillit avec mépris. Cet ignare de moine japonais ne savait donc rien de l'esprit du bouddhisme !

Dôgen, qui allait devenir le maître *sôtô* le plus important du Japon en même temps que l'un des plus grands esprits religieux de l'humanité, ne devait jamais oublier les leçons du cuisinier : pour le zen, le travail est d'une importance fondamentale et l'on peut trouver l'éveil jusque dans les lieux et les actes les plus ordinaires. « La seule activité extraordinaire, écrivit-il, ne consiste jamais qu'à se procurer du riz. »

1. Dans la confusion trouver la simplicité.
2. De la discorde faire jaillir l'harmonie.
3. Au milieu de la difficulté se trouve l'opportunité.

ALBERT EINSTEIN, *Trois règles de travail.*

Le zen n'est pas une forme d'excitation, mais la concentration sur notre routine quotidienne.

Shunryu Suzuki.

Il faut bien voir qu'on ne peut saisir le monde que par l'action, non par la contemplation.
La main importe davantage que l'œil...
La main est l'arête tranchante de l'esprit.

JACOB BRONOWSKI.

Le travail est l'amour rendu visible. Et si tu ne peux travailler avec amour, mais uniquement avec dégoût, mieux vaut quitter ton travail pour aller t'asseoir à la porte du temple et recevoir l'aumône de ceux qui travaillent avec joie.

KHALIL GIBRAN.

Ce qu'il convient de faire quand on travaille sur une motocyclette, comme dans toute autre tâche, c'est cultiver la paix de l'esprit, qui ne sépare pas le moi de son environnement. Quand on y réussit, tout le reste est donné de surcroît. La paix de l'esprit engendre les valeurs justes, et les valeurs justes produisent les pensées justes. Les pensées justes produisent les actions justes et les actions justes le travail, qui sera un reflet matériel, aux yeux des autres, de la sérénité, qui est au cœur de tout cela.

ROBERT M. PIRSIG,
Traité du zen et de l'entretien des motocyclettes.

Il faisait chaque chose comme s'il ne faisait rien d'autre.

Charles Dickens.

Le bonheur : se dissoudre dans quelque chose de complet et de grand.

WILLA CATHER.

Un moine interrogea Ts'ui-wei sur le sens du bouddhisme. Ts'ui-wei répondit : « Attends qu'il n'y ait personne dans les parages, et je te dirai. » Un peu plus tard, le moine aborda de nouveau Ts'ui-wei : « Il n'y a personne maintenant. Je t'en prie, réponds-moi. » Ts'ui-wei l'entraîna dans le jardin et se dirigea vers le bosquet de bambous, sans dire un mot. Comme le moine ne comprenait toujours pas, Ts'ui-wei dit enfin : « Voici un grand bambou ; en voilà un petit ! »

PARABOLE ZEN.

Le zen, l'art de peindre et la calligraphie

Nettement plus ancienne que le zen, la calligraphie est l'un des arts les plus prisés en Extrême-Orient et, de fait, les exemples les plus marquants sont loin d'être tous en rapport avec le zen. Depuis l'origine, cependant, le zen a trouvé des affinités naturelles avec les qualités de rigueur et de spontanéité que requiert le pinceau. Grâce aux pouvoirs de concentration amplifiés que donne la méditation, les praticiens du zen surent en exploiter les possibilités créatrices. Ainsi que l'observa le poète chinois zen Huang T'ing-chien, la calligraphie change après qu'on a atteint l'Éveil, les traits clairs et incisifs se distinguant par une nouvelle vitalité intérieure. La peinture à l'encre est l'art zen dans sa plus haute expression. Les peintres zen font preuve d'une communion profonde avec la nature. Pour le peintre, l'approche de la toile relève de la pratique du zen, elle est d'abord contemplation : « toile blanche, esprit vide ». La beauté est une considération secondaire, le but étant plutôt l'asymétrie que l'équilibre. Un espace vide n'est pas moins réel que des objets ou des solides ; ce qu'on écarte n'est pas moins important que ce qu'on intègre. Appliquer un pinceau chargé d'encre sur un papier de soie ou de riz blanc requiert une maîtrise absolue. Le premier coup est aussi le dernier ; il ne saurait y avoir de correction ultérieure. Pénétrées de silence, intemporelles et transparentes, les peintures laissent entrevoir une réalité absolue au-delà de laquelle on ne saurait plus rien dire. Pour reprendre la formule d'un historien d'art occidental, ce sont des « chiffres de la transcendance ».

Dessine des bambous pendant dix ans, deviens un bambou, puis oublie tout des bambous quand tu dessines.

GEORGES DUTHUIT,
À propos de la peinture en Chine.

Comment peux-tu penser et frapper en même temps ?

YOGI BERRA.

Il n'est de prière parfaite
que si le moine a conscience
de lui-même et s'il est conscient
d'être en train de prier.

SAINT ANTOINE.

Dès que mon taureau sortit, je m'avançai à sa rencontre et, à la troisième passe, j'entendis le hurlement de la foule qui se levait. Qu'avais-je fait ? Tout de suite, j'oubliai le public, les autres toreros, moi-même, et jusqu'au taureau lui-même. Je commençai à combattre comme je l'avais si souvent fait seul, la nuit, au corral ou dans les prés... On dit que, cette après-midi-là, mes passes avec la cape et mon travail à la muleta furent une révélation de l'art de toréer. Je ne sais. J'ai simplement combattu sans autre pensée que ma foi dans ce que je faisais. Avec le dernier taureau, j'ai réussi pour la première fois de ma vie à me livrer corps et âme à la joie pure du combat.

JUAN BELMONTE.

À mon sens, l'œuvre de l'herbe n'a pas moins d'importance que le labeur des étoiles.

WALT WHITMAN.

Si tu étudies l'art japonais, tu vois un homme assurément sage, un philosophe, un homme intelligent, mais à quoi emploie-t-il son temps ? À étudier la distance entre la Terre et la Lune ? Non. À étudier la politique de Bismarck ? Non. Il étudie un brin d'herbe. Mais ce brin d'herbe le conduit à dessiner chaque plante, puis les saisons, puis la campagne, puis les animaux, puis les hommes. Ainsi emploie-t-il sa vie, et la vie est trop courte pour tout faire.

VINCENT VAN GOGH.

— Enfants, une chose terrestre
Véritablement vécue, même une seule fois,
suffit pour toute une vie.

RAINER MARIA RILKE.

Si tu comprends une chose de A jusqu'à Z, tu comprends tout.

SHUNRYU SUZUKI.

Quelle est la couleur du vent ?

KÔAN ZEN.

Le monde est sa propre magie.

Shunryu Suzuki.

La mystique : non pas *comment* est le monde, mais *le voilà*.

LUDWIG WITTGENSTEIN.

Pas d'idées, mais dans les choses.

William Carlos Williams.

À la sortie de l'église, on resta quelque temps à discuter de l'ingénieux sophisme de Mgr Berkeley pour prouver l'inexistence de la matière, bref que tout l'univers n'est qu'un rêve. J'observai que, même si nous sommes convaincus que sa doctrine n'est pas vraie, il est impossible de la réfuter. Jamais je n'oublierai l'alacrité avec laquelle Johnson répondit, flanquant un grand coup de pied dans une grosse pierre : « *Voilà* ma réfutation ! »

JAMES BOSWELL, *Vie de Samuel Johnson.*

Fa-yen, un maître zen chinois, surprit quatre moines qui discutaient de la subjectivité et de l'objectivité. Il se joignit à eux et dit : « Voilà une grosse pierre. À votre avis, elle est dans votre esprit ou au-dehors ? »

L'un des moines répondit : « Du point de vue bouddhiste, tout est une objectivation de l'esprit, je dirais donc que la pierre est dans mon esprit.

— Ta tête doit te peser terriblement, observa Fa-yen, si tu te promènes avec une pierre comme ça dans l'esprit. »

HISTOIRE ZEN.

Nous sommes ici, et c'est maintenant.
Au-delà de ça, tout le savoir de l'homme n'est que fariboles.

Henry Louis Mencken.

Dans le monde on n'a pas besoin
De doigt quand cela, et cela, et
Cela ont déjà un nom qui les
Nomme : ils n'ont pas besoin
Qu'un doigt les montre.

KONG-SOUEN LONG,
Sur le doigt qui montre cela.

Ceci, rien que ceci !

SOEN.

**J'aime la réalité.
Elle a un goût de pain.**

JEAN ANOUILH.

Un gâteau de riz en peinture ne comble pas la faim.

DICTON ANTIQUE.

Quand tu es en bateau et que tu regardes la côte, tu pourrais penser que le rivage bouge. Mais quand tu gardes les yeux fixés sur le bateau, tu vois bien que c'est le bateau qui bouge. De même, si tu examines quantité de choses avec un esprit confus, tu pourrais bien imaginer que ton esprit et la nature sont permanents. Mais si tu pratiques intimement et que tu retournes où tu es, il apparaîtra clairement qu'il n'est rien dont le moi soit immuable.

DÔGEN.

Les mains vides, tenant
une houe,
Marchant, à cheval sur un
buffle d'eau,
L'homme traverse un pont ;
Le pont, mais pas la rivière,
qui s'écoule.

Mahasattva Fu.

Ce tableau de Van Gogh : une paire de gros godillots de paysan, rien d'autre. L'image ne reproduit rien à proprement parler. Cependant on se trouve tout de suite seul avec ce qui *est* là, comme si soi-même, tard un soir d'automne, quand charbonnent les derniers feux de pieds de pommes de terre, on rentrait fatigué des champs avec la pioche sur l'épaule. Qu'est-ce qui, dans tout cela, est étant ? La toile ? Les touches du pinceau ? Les taches de couleur.

MARTIN HEIDEGGER, *Introduction à la métaphysique* (trad. G. Kahn).

Quand tu rencontres une bonne
épée, montre-lui ton épée.
Quand tu rencontres un homme
qui n'est pas un poète,
Ne lui montre pas ton poème.

LIN-CHI.

Deux moines discutaient du drapeau du temple qui flottait au vent. « Le drapeau s'agite », dit l'un. « Le vent s'agite », dit l'autre. Ils se renvoyaient la balle, sans parvenir à se mettre d'accord. « Messieurs ! lança Hui-neng, le Sixième Patriarche. Ce n'est pas le drapeau qui s'agite. Ce n'est pas le vent qui s'agite. C'est votre esprit qui s'agite. » Les deux moines en furent saisis d'effroi.

KÔAN ZEN.

**La rivière coule.
Le merle noir doit voler.**

WALLACE STEVENS.

Le zen dans l'art du tir à l'arc et du maniement de l'épée

Dans son étude classique *Le Zen dans l'art chevaleresque du tir à l'arc*, le philosophe allemand Eugen Herrigel a cherché la substance du zen dans la formation de l'archer : découvrir où l'art devient sans art, le tir non-tir, et l'archer sa propre cible. « Je crains de ne plus rien comprendre, répondis-je, même les choses les plus simples sont devenues embrouillées. Est-ce "moi" qui tire à l'arc, ou est-ce l'arc qui me tire ?... Est-ce "moi" qui touche la cible ou la cible qui me touche ?... L'arc, la flèche, le but et le moi, tous se sont fondus l'un dans l'autre, si bien que je ne puis plus les séparer. Même le besoin de les séparer a disparu. Car dès que je prends l'arc et tire, tout devient tellement clair, direct, d'une simplicité ridicule... "Maintenant, enfin, trancha le maître, la corde de l'arc t'a traversé de part en part." »

Pratiquée dans un esprit zen, l'escrime, comme le

tir à l'arc, devient une discipline spirituelle. Les maîtres zen pratiquent l'escrime et les adeptes du *kendô* — forme japonaise d'escrime — s'initient souvent au zen. C'est une autre manière de poursuivre le *mushin* ou « absence d'esprit ». Lorsque l'épéiste transcende les limites de la technique, renonçant à toute idée de faire montre de son habileté ou de gagner un combat, l'épée et l'épéiste ne font plus qu'un. Les pensées et les sentiments s'effacent, l'épéiste retrouve son « esprit originel ».

Si tu fixes ton esprit sur les mouvements de ton adversaire, il se laissera prendre par eux. Si tu fixes ton esprit sur l'épée de ton adversaire, il sera pris par l'épée. Si tu fixes ton esprit pour essayer de frapper ton adversaire, il sera pris par l'attente qui précède le coup. Si tu te fixes sur ton épée, il sera pris par ton épée. Si tu ne penses qu'à éviter d'être frappé, il sera pris par le désir de n'être pas frappé. Si tu te fixes sur l'attitude de ton adversaire, il sera pris par son attitude. Bref, il n'est rien sur quoi fixer ton esprit.

TAKUAN.

Ne te laisse pas dominer par l'esprit, domine-le.

DICTON ZEN.

Veux-tu la grande tranquillité ? Apprête-toi à suer des perles blanches.

HAKUIN.

**Un état d'absolue simplicité
(Ne coûtant pas moins que
tout).**

T. S. Eliot.

Si les anges peuvent voler, c'est qu'ils prennent leur angélisme à la légère.

G. K. Chesterton.

Le faut-il ?
Il le faut.

BEETHOVEN.

Je ne peux continuer.
Tu dois continuer.
Je vais continuer.

SAMUEL BECKETT.

Quand tu arrives au bout du chemin, change —
Ayant changé, tu passes.

YI KING.

C'est comme un buffle d'eau passant par une fenêtre. Sa tête, ses cornes et ses quatre pattes : tout passe. Pourquoi sa queue ne passerait-elle, elle aussi ?

KÔAN ZEN.

Et ne change pas. Ne détourne pas ton amour des choses visibles. Mais continue à aimer ce qui est bon, simple et ordinaire ; les animaux, les choses et les fleurs. Garde le bon équilibre.

RAINER MARIA RILKE.

Frappe,
Et Il ouvrira la porte.
Évanouis-toi,
Et Il te fera briller comme le soleil.

Tombe,
Et Il t'élèvera aux cieux.
Deviens rien,
Et Il te transformera en tout !

RUMI.

Tout est fondé sur l'esprit, guidé par l'esprit, façonné par l'esprit. Si tu parles et agis avec un esprit souillé, la souffrance te suivra, comme les roues d'un char à bœufs suivent les pas du bœuf. Tout est fondé sur l'esprit, guidé par l'esprit, façonné par l'esprit. Si tu parles et agis avec un esprit pur, le bonheur te suivra, comme l'ombre attachée à une forme.

LE BOUDDHA.

Rien n'est bon ni mauvais en soi. Une chose est bonne ou mauvaise suivant le regard que nous portons sur elle.

SHAKESPEARE.

Impossible de l'obtenir en pensant,
Impossible de le chercher sans penser.

DICTON ZEN.

Il n'a jamais les yeux fatigués, celui qui est illuminé par l'ombre de ses œillères.

PROVERBE NÉPALAIS.

Parler de taureaux n'est pas la même chose que d'être dans l'arène.

Proverbe espagnol.

Nous cherchons à fuir la question de l'existence par tous les moyens : richesses, prestige, pouvoir, production, divertissement, bref, tout ce qui nous fait oublier que nous existons, que j'existe. Qu'il pense souvent à Dieu ou qu'il aille à l'église, qu'il croie aux idées religieuses, qu'importe ! si l'homme est sourd à la question de l'existence, s'il n'a pas de réponse, s'il n'avance pas, s'il vit et meurt comme l'une des millions de choses qu'il produit.
Il pense à Dieu au lieu de faire l'expérience de Dieu.

ERICH FROMM.

Si on me demande ce qu'est le zen, je dirai que ça ressemble à l'art du monte-en-l'air. Voyant son père vieillir, le fils d'un cambrioleur songeait : « S'il est hors d'état de poursuivre, qui nourrira cette famille ? Il me faut apprendre le métier. » Une nuit, le père entraîna le fils dans une grande maison, brisa la clôture, pénétra dans la demeure et, ouvrant l'un des grands coffres, pria son fils de choisir des habits. À peine était-il entré dans le coffre, que le couvercle se referma et que le verrou fut tiré. Le père sortit dans la cour et, frappant de grands coups à la porte, réveilla toute la maisonnée avant de s'éclipser. Les résidents se levèrent et allumèrent des chandelles, mais virent que les monte-en-l'air avaient déjà filé. Pendant ce temps, le fils enfermé dans le coffre songeait à la cruauté de son père. Puis il eut un éclair de génie. Il imita le bruit d'un rongeur. Le couvercle déverrouillé, il s'enfuit. Apercevant un puits au bord du chemin, il ramassa un gros caillou et le jeta dans l'eau. Ses poursuivants s'attroupèrent autour du puits pour essayer d'entrevoir le cambrioleur en train de se noyer. De retour chez lui, il s'en prit à son père. À cause de lui, il s'en était fallu d'un cheveu qu'il se fasse pincer. « Voilà, tu connais le métier ! » lâcha le père quand le fils lui eut rapporté par le menu les péripéties de son évasion.

D. T. SUZUKI.

Tu ne peux trouver la vérité par la logique que si tu l'as déjà trouvée sans elle.

G. K. CHESTERTON.

Pai-chang voulait envoyer un moine fonder un nouveau monastère. Il dit à ses élèves que serait nommé celui qui répondrait le plus habilement à une question. Posant une cruche d'eau sur le sol, il demanda :

« Qui peut dire ce que c'est sans dire son nom ?

— Nul ne saurait dire que c'est une sandale de bois », dit le doyen des moines.

Kuei-shan, le cuisinier, renversa la cruche avec son pied et se retira.

Pai-chang rit. « Le doyen a perdu. »

Ainsi Kuei-shan devint-il le maître du nouveau monastère.

MONDO ZEN.

Je suis celui qui est.

KÔAN DE L'ANCIEN TESTAMENT.

Quel est le bruit d'une main qui claque ?

KÔAN ZEN.

L'attachement est le grand forgeur d'illusions. Seul celui qui est détaché peut atteindre la réalité.

SIMONE WEIL.

Deux moines cheminaient sur une route boueuse. Il pleuvait à verse. Au tournant, ils rencontrèrent une ravissante jeune fille en kimono de soie, incapable d'aller plus loin.

« Viens ! » dit le premier moine. La prenant dans ses bras, il lui fit traverser la flaque de boue.

Le second moine ne devait plus desserrer les lèvres avant leur arrivée au temple qui devait les héberger. Mais là, il n'y tint plus :

« Nous les moines, nous n'approchons pas les femmes. C'est dangereux. Pourquoi as-tu fait cela ?

— J'ai laissé la fille là-bas, répondit le premier moine. Parce que toi, tu continues à la porter ? »

HISTOIRE ZEN.

Quand un homme ordinaire atteint le savoir, il est sage. Quand un sage atteint la compréhension, il est un homme ordinaire.

DICTON ZEN.

De riches patrons convièrent Ikkyû à un banquet. Ikkyû s'y rendit en haillons. Ne le reconnaissant pas, l'hôte le chassa.
Rentrant chez lui, Ikkyû passa sa robe de cérémonie en brocart pourpre et revint.
On le reçut dans la salle de banquet avec tous les honneurs. Là, il déposa sa robe sur le coussin. « J'imagine que c'est la robe que vous avez invitée, puisque vous m'avez chassé à l'instant. » Et à ces mots il s'en alla.

HISTOIRE ZEN.

La principale tâche de l'homme est de se donner naissance.

Erich Fromm.

Étudie, afin de devenir mère mais aussi un enfant quand te naît un enfant.

DÔGEN.

Te-shan faisait *zazen* dehors. Lung-t'an lui demanda pourquoi il ne rentrait pas chez lui. Te-shan répondit : « Parce qu'il fait nuit. » Lung-t'an alluma une chandelle, qu'il lui tendit. Comme Te-shan était sur le point de la prendre, Lung-t'an la souffla. Te-shan eut une illumination soudaine et s'inclina.

KÔAN ZEN.

Tu dois te concentrer et te consacrer entièrement à chaque jour comme si un feu faisait rage dans tes cheveux.

DESHIMARU.

Juste avant de mourir, Gertrude Stein demanda : « Quelle est la réponse ? »
Aucune réponse ne vint. Elle rit et ajouta : « En ce cas, quelle est la question ? » Sur ce, elle mourut.

La parole et le silence transgressent l'une et l'autre.

DICTON ZEN.

La position du lotus

Pour pratiquer le zen, il faut s'asseoir — et, pour parler comme Dôgen, s'asseoir comme un grand pin ou une montagne, avec un sens de la dignité et de la grandeur.

La tradition veut que l'on s'asseye dans la position du lotus. Les jambes sont croisées, le pied gauche sur la cuisse droite, le pied droit sur la gauche. La colonne vertébrale est légèrement penchée en avant, laissant le ventre pendre naturellement tandis que le postérieur repose sur un support solide : s'affaisser, c'est se perdre. La tête est haute, le menton rentré, les yeux entrouverts et baissés. Les mains sont placées sur les genoux et forment une « *mudra* cosmique » : la main gauche sur la droite, les articulations intermédiaires des majeurs réunies et les pouces se touchant légèrement de manière à former un ovale.

Dans son *Esprit zen, esprit neuf*, Shunryu Suzuki en résume la signification : « Lorsque nous croisons les jambes ainsi, nous avons certes encore une jambe gauche et une jambe droite, mais elles ne font plus qu'une. La position exprime l'unité de la dualité : ni deux ni un. Tel est l'enseignement le plus important : ni deux ni un. Notre corps et notre esprit ne font ni deux ni un. Si vous pensez que votre corps et votre esprit font deux, vous faites fausse route ; si vous pensez qu'ils font un, vous faites fausse route. Notre corps et notre esprit font à la fois deux *et* un. »

Passer son temps à parler du zen, c'est comme chercher la trace d'un poisson dans le lit d'une rivière à sec.

WU-TZU.

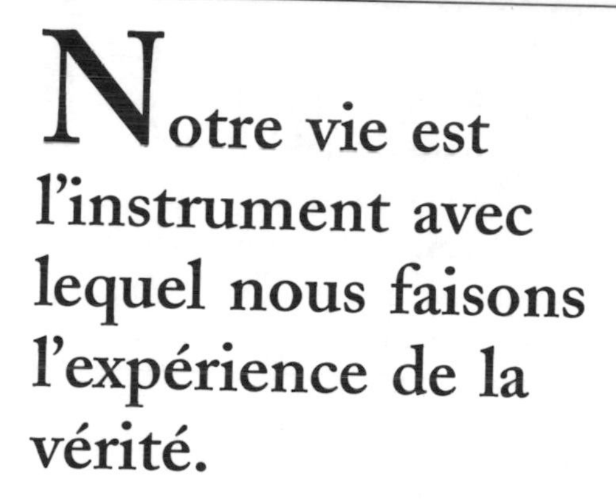

Notre vie est l'instrument avec lequel nous faisons l'expérience de la vérité.

THICH NHAT HANH.

Un jour, Tchouang-tseu et un ami se promenaient au bord d'une rivière.

« Comme les poissons se plaisent dans l'eau ! s'exclama Tchouang-tseu.

— Tu n'es pas un poisson, dit son ami. Comment sais-tu si les poissons s'y plaisent ou non ?

— Tu n'es pas moi, répondit Tchouang-tseu. Comment sais-tu que je ne sais pas que les poissons s'y plaisent ? »

APOLOGUE TAOÏSTE.

« J'ai les pieds gelés »,
dit l'un.
Et le cul-de-jatte de répondre :
« Moi aussi, moi aussi. »

FOLKLORE DU KENTUCKY.

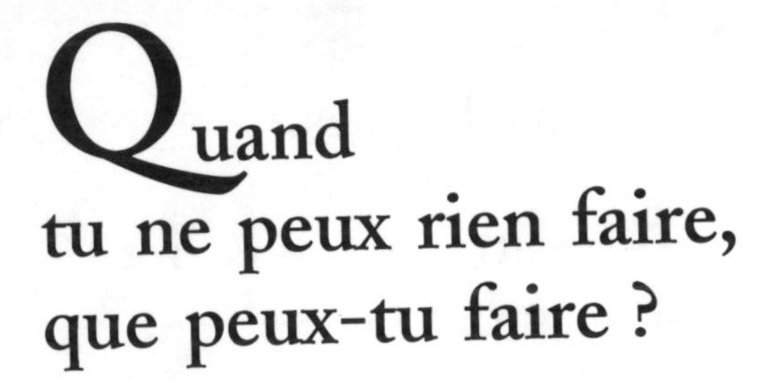

Quand
tu ne peux rien faire,
que peux-tu faire ?

KÔAN ZEN.

Les ordinateurs sont inutiles. Ils ne peuvent donner que des réponses.

Pablo Picasso.

La sagesse est comme un immense brasier : on ne saurait y pénétrer d'aucun côté.

La sagesse est comme une mare d'eau claire et fraîche : on peut y pénétrer de tous côtés.

NAGARJUNA.

Un moine était impatient d'apprendre le zen : « Je viens d'être initié. Seras-tu assez bon pour me montrer la voie du zen ? »

Le maître répondit :

« Entends-tu le murmure du ruisseau dans la montagne ?

— Oui, je l'entends, dit le moine.

— Voici l'entrée », dit le Maître.

MONDO ZEN.

La méditation n'est pas un moyen d'atteindre une fin. Elle est à la fois le moyen et la fin.

KRISHNAMURTI.

Plus tu sais,
moins tu comprends.

TAO-TÖ KING.

David Schiller est écrivain.
Il vit à Brooklyn,
dans l'État de New York,
avec sa femme et son fils.

IMPRIMÉ AU CANADA